Bordado

Una guía paso a paso para aprender técnicas de bordado

Charlotte Gerlings

Grupo Editorial Tomo, S.A. de C.V.,
Nicolás San Juan 1043,
03100, México, D.F.

1a. edición, abril 2013.

Embroidery
Charlotte Gerlings
Copyright © 2012 Arcturus Publishing Limited
26/27 Bickels Yard, 151-153 Bermondsey Street,
London SE1 3HA

© 2013, Grupo Editorial Tomo, S.A. de C.V.
Nicolás San Juan 1043, Col. Del Valle
03100 México, D.F.
Tels. 5575-6615, 5575-8701 y 5575-0186
Fax. 5575-6695
http://www.grupotomo.com.mx
ISBN-13: 978-607-415-490-0
Miembro de la Cámara Nacional
de la Industria Editorial No. 2961

Traducción: Graciela Frisbie
Diseño de portada: Karla Silva
Formación Tipográfica: Armando Hernández R.
Supervisor de producción: Leonardo Figueroa

Este libro se publicó conforme al contrato establecido entre
Arcturus Publishing Limited y *Grupo Editorial Tomo, S.A. de C.V.*

Impreso en México - *Printed in Mexico*

CONTENIDO

INTRODUCCIÓN

Diferentes escritores han intentado definir la palabra "bordado". En general se define como "Hilo que se trabaja, a mano o a máquina, en una tela ya existente" o "Labor de relieve ejecutada en tela o piel con aguja y diversas clases de hilo". A veces se dice que el bordado es "costura" o "labor", o que es la forma de embellecer las telas enriqueciéndolas con una aguja e hilos.

La gente ha cosido a mano desde que existen las agujas, y el bordado a mano ha existido desde que la gente quiso decorar una tela tejida, un trozo de fieltro o de piel. Las puntadas de bordado tienen orígenes diferentes. Algunas sin duda se basan en los textiles antiguos. Por lo tanto, no es sorprendente que exista una gran gama de nombres para estas puntadas, y esto puede causar confusión.

Las puntadas se hacen insertando y volviendo a sacar una aguja con hilo en una tela a intervalos específicos. Esta acción, la repetición de acciones y el agrupar hilos, produce una gran variedad de superficies y de combinaciones de efectos. Hoy en día, el bordado puede usarse en muchas formas y con propósitos que son prácticos u ornamentales, al igual que para expresar un concepto sin tener una aplicación práctica.

Como todas las personas que desean practicar otras formas de arte y artesanía, para comenzar a bordar necesitas empezar en algún lugar, y estoy segura de que una vez que permitas que los puntos se usen en una forma que te agrade, el bordado despertará tu curiosidad y querrás seguir aprendiendo y expresando ideas, patrones y muchas otras cosas, usando lo que las puntadas de bordado pueden hacer.

No tienes que conocer o usar una gran cantidad de puntadas para bordar. Sin embargo, necesitas una aguja, hilos y telas que combinen entre sí. No hay nada más frustrante que batallar para hacer que el hilo pase a través de la tela porque no se tienen los materiales adecuados. Debes entender eso antes de comenzar. Puedes hacer las puntadas moviendo la aguja hacia ti o alejándola de ti; las personas, ya sean diestras o zurdas, hacen sus puntadas en diferentes direcciones; tú vas a descubrir lo que es más cómodo para ti.

En 1936, Rebecca Crompton, una maestra con una gran visión del futuro, escribió: "*...una maestra de bordado no necesita enseñar muchas puntadas a la vez, aunque a la larga todas deberán aprenderse. Un médico podría indicar que el paciente tome un frasco de medicamento, pero no que lo tome todo a la vez".*

Por lo tanto, debes tener paciencia y sinceridad en relación con lo que te gusta hacer. Está bien hacer puntadas grandes y toscas, o puntadas pequeñas y finas, no hay formas correctas o incorrectas de usarlas, pero tal vez necesites practicar con diferentes telas e hilos para lograr el efecto deseado.

Si no tienes idea de dónde comenzar, tal vez podrías considerar los bordados de la India; todavía se hacen en ese país algunos de los bordados más maravillosos y podrías encontrar muchos ejemplos en las tiendas y en las colecciones de los museos.

Anne Morrell

La profesora Anne Morrell fue la conferencista principal del Departamento de Textiles y Modas de la Universidad Metropolitana de Manchester, que es la única que ofrece un curso de bordado a nivel universitario en el Reino Unido. Actualmente es consultora para el Museo Ahmedabad Calico, en Gujarat, India, el cual ella visita cada año, y donde sistemáticamente lleva registros en los que documenta las técnicas textiles tradicionales de la India.

PRIMERA PARTE

EQUIPO Y MATERIALES

AGUJAS

Las agujas se fabrican en una amplia gama de largos y grosores: Entre más alto sea el número, más fina es la aguja. Es importante seleccionar el tamaño correcto de aguja para el hilo y la tela que vas a usar.

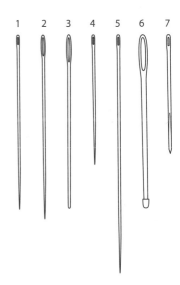

1 **Agujas con buena punta** – De largo mediano y buena punta, el ojo es redondo y se utiliza para coser con hilo estándar de algodón o de poliéster.

2 **Agujas para crewel o bordado** – Son agujas de buena punta como las número 1, pero el ojo es largo y de forma oval, como el de las agujas de tapicería; se usa con hilos más gruesos y para coser con varios hilos.

3 **Agujas de tapicería** – Son de punta roma y tienen un ojo largo y oval, se usan para bordar contando hilos.

4 **Intermedias** – Son muy cortas y afiladas; su ojo es pequeño y redondo.

Se usan para puntadas finas y para telas acolchadas.

5 **Agujas para sombreros** – Son muy largas y delgadas, de ojo redondo; se usan para trabajo decorativo y adornos.

6 **Agujas para jareta** – Son gruesas, de punta roma, con un ojo suficientemente grande para hacer pasar un cordel, elástico o listón por una pretina.

7 **Agujas para guantes o piel** – Con filo, su punta tiene tres lados para penetrar la piel y el PVC sin rompimientos.

Los ojos de las agujas

Los ojos de las agujas son redondos u ovales; los redondos son los más pequeños y los largos y ovales son los más grandes. Aunque una aguja pequeña ayuda en el trabajo fino, si el ojo es demasiado estrecho y se ajusta con fuerza alrededor del hilo o estambre, será difícil pasarla a través de la tela y el hilo podría deshilacharse en el proceso.

La mayoría de las agujas están niqueladas; sin embargo, su calidad varía. A veces se decoloran y pueden dejar manchas en tu trabajo si las dejas clavadas en la tela, así que quítalas cuando termines de coser. Las agujas chapadas en oro o en platino no se decoloran ni se oxidan, pero son más caras.

EQUIPO BÁSICO

A **Agujas, alfileres y alfiletero**

B **Dedal**

C **Descosedor**

D **Tijeras de modista**

E **Tijeras**

F **Tijeras para bordar**

G **Plancha**

H **Máquina de coser**

I **Hilos para bordar**

J **Barra puntiaguda** de metal o de madera para emparejar y enderezar los hilos al bordar (puede usarse una aguja de tejer grande no muy puntiaguda)

K **Cinta adhesiva**

L **Lápiz para transferir diseños de bordado**

M **Lápiz para marcar telas**

N **Lámpara con lupa**

O **Papel cuadrícula para trazar diseños**

P **Papel carbón para modistas**

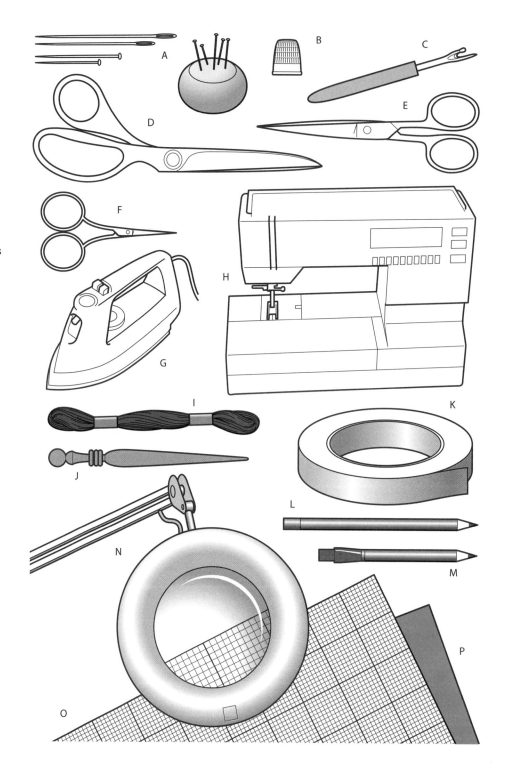

TRABAJAR CON AROS Y BASTIDORES

Los aros y bastidores no son parte del equipo esencial; muchas personas prefieren trabajar "en la mano", pero por lo general el progreso es más rápido y el trabajo más preciso cuando la tela está extendida y tiene un punto de apoyo.

Aros y bastidores

El aro estándar para bordar (A), conocido también como tambor, (págs. 34 y 39), consta de un anillo interno y un anillo externo hechos de madera o de plástico. La tela se coloca primero sobre el anillo interno y el anillo externo se sujeta a su alrededor con un tornillo de metal.

Evita las marcas del aro en la tela envolviendo ambos aros con bies o colocando pañuelos de papel entre el anillo externo y la tela (retira el papel de la zona que se va a bordar). Retira el aro cuando no estés bordando.

Un bastidor (B) de cualquier tamaño puede colocarse en un soporte (C y D) o en un sujetador (abrazadera) (E), dejando así ambas manos libres para bordar. Muchas personas sienten que clavar la aguja hacia arriba y hacia abajo en la tela, con una mano arriba y la otra abajo, es cómodo y ayuda a reducir dolores causados por calambres en las manos y en las muñecas.

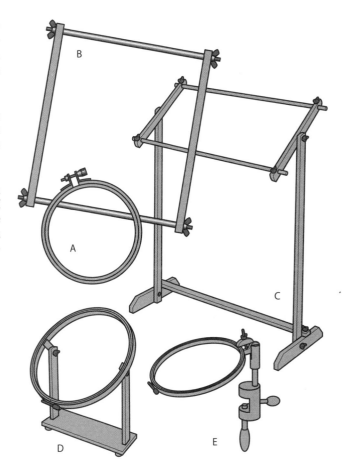

Bastidor con rodillos

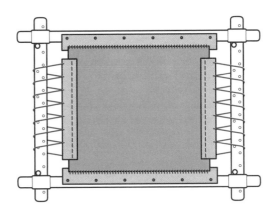

Primero cose la parte superior e inferior de la tela a las bandas que están unidas a los rodillos. Enrolla el exceso de tela en un rodillo antes de juntar y ajustar las dos piezas laterales planas para completar el marco. Extiende y tensa la tela; luego coloca una tira a ambos lados. Con una aguja curva e hilo fuerte, sujeta la tela de manera uniforme sobre cada lado del marco, apriétala y fija los extremos con firmeza.

TELAS

La textura y el color de la tela son importantes. Las telas modernas están hechas de fibras naturales o de fibras de fabricación humana; a menudo se mezclan para combinar sus cualidades más ventajosas.

Cocatriz bordada en "crewel"

Por tradición, el bordado tipo crewel se trabajaba en sarga de lana o de lino. Esta cocatriz (criatura legendaria que parece un gallo con la cola de un lagarto) del siglo XVII habría formado parte de una decoración densamente bordada para adornar una cama. La sarga es una tela resistente cuyo tejido forma líneas diagonales. Es duradera y suele usarse para tapizar muebles.

Tejidos

Las telas pertenecen a uno de estos tres tipos de tejidos:

1 **El tejido simple** es el tipo más sencillo; los hilos de la urdimbre (verticales) pasan por encima y por debajo de cada uno de los hilos de la trama (horizontales). La muselina, el percal (calicó) y la popelina son ejemplos de este tipo de tejido.

2 **La tela de ligamento cruzado o sarga** entrelaza los hilos de la urdimbre y la trama pasando por dos o más hilos progresivamente. Esto produce un claro patrón diagonal en la superficie de telas resistentes como el dril, la gabardina o la mezclilla.

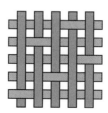

3 **El tejido de raso** presenta una superficie uniforme y compacta creada por trozos largos de urdimbre (por lo general de seda, algodón, acetato o rayón) que no permiten que la trama sea visible; lo inverso sería una tela mate. Si los trozos largos son de trama, la tela recibe el nombre de "satín". En ambos casos, la superficie brillante tiende a desgarrarse.

La fibra

La fibra de una tela es la dirección en que están colocados los hilos de la trama y de la urdimbre. La urdimbre es vertical, paralela al orillo (extremo de una pieza de tela que suele tener distinto aspecto que el resto); éste es el *grano longitudinal*. La trama sigue el *grano transversal*, en ángulo recto al grano longitudinal.

El sesgo

El sesgo se encuentra a lo largo de cualquier línea diagonal entre el grano longitudinal y el grano transversal. El sesgo real está en un ángulo de 45 grados, donde se logra una extensión máxima. Las tiras de tela que se cortan de acuerdo al sesgo se usan como entretela y como bies alrededor de los bordes debido a su flexibilidad en las curvas y las esquinas.

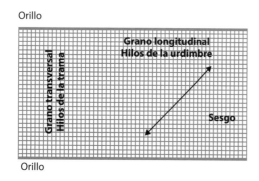

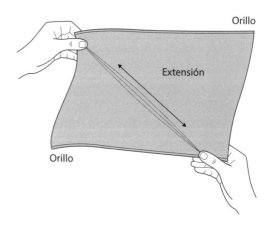

Telas en que se cuentan los hilos

Dos de las telas que más se usan en el punto de cruz, donde se cuentan los hilos, se consiguen en diversos tonos y colores neutros.

Aida

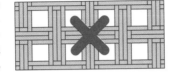

Esta tela para punto de cruz es muy popular entre principiantes debido a su estructura regular y sus orificios visibles para hacer las puntadas. Además, tiene un acabado más resistente que facilita el bordar, sosteniendo la tela en la mano. Vale la pena mencionar que las áreas que no se trabajan tienen una textura muy distinta a la de las telas "evenweave", de modo que debes asegurarte de que ése sea el efecto que deseas lograr.

Las telas "evenweave" y Aida son intercambiables y su uso se facilita con la ayuda de un poco de aritmética. Si un patrón pide una tela "evenweave" de 28 para coserse sobre dos hilos, usa una tela Aida de 14 y cose tomando en cuenta cada orificio. De manera similar, remplazarías una tela "evenweave" de 32 con una tela Aida de 16, y una "evenweave" de 22 con una Aida de 11.

Evenweave

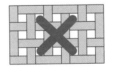

Tela "evenweave" es cualquier tela natural o fabricada por el hombre, que tiene el mismo número de hilos por pulgada (2.5 cm) en sentido vertical y en sentido horizontal. Esto hace que los puntos de cruz sean cuadrados y parejos. Con frecuencia son telas de lino o de algodón.

Los hilos "evenweave" por lo general tienen un grosor uniforme, aunque los de lino puro son ligeramente más irregulares. El punto de cruz se hace sobre dos hilos, de modo que harías tus puntos en orificios alternos. Cuanto más grande sea la cantidad de hilos por pulgada, más fina es la tela y más pequeñas serán tus puntadas.

Telas de lujo

Las suntuosas vestiduras de los bizantinos (del año 395 al 1423) a menudo incluían el trabajo artístico de una persona que sabía bordar. Les gustaban los patrones geométricos, las flores y las hojas; y a menudo incorporaban aves o criaturas mitológicas. Se usaban muchos tipos de hilos, incluyendo los de oro y los de seda con vivos tonos de rojo, azul, púrpura y amarillo.

A lo largo de la Edad Media (desde cerca del año 500 hasta cerca del año 1500), la influencia bizantina se extendió hacia el oeste y el norte. Los bordados ingleses medievales, que eran altamente apreciados y que recibieron el nombre de "Opus Angelicanum", se hacían con hilo de oro sobre terciopelo o tela de seda, y se vendían por toda Europa. Los compraban los miembros de la realeza, y también la Iglesia para los ornamentos litúrgicos.

Entre más apretado sea el tejido, es menos probable que la tela encoja durante o después de su fabricación. La etiqueta de la tienda indica si la tela es pre-encogida. Si no lo es, y si es necesario, encógela tú antes de usarla. Lávala y sécala siguiendo las instrucciones de la etiqueta, la cual también te indicará si la tela se destiñe o no.

HILOS

Los hilos para bordar pueden comprarse en bolas, carretes o madejas. El borde de flores que aparece abajo se trabajó con hilos de plata y oro, pero no hay razón alguna para que no puedan bordarse con otros materiales, incluso listones, cordones o alambre fino.

Si es posible, elije los hilos con luz natural porque la luz artificial intensifica ciertos colores y apaga otros. Las fibras que elijas son importantes para la textura o el acabado de tu bordado y recuerda siempre el uso final de todo lo que bordes. No compres hilo de baja calidad; se rompe con facilidad y le falta flexibilidad. Incluso podría encogerse o desteñirse cuando lo laves.

Hilo de algodón para bordar: Es el que se usa con mayor frecuencia para bordar. Consta de seis hilos divisibles y viene en una madeja pequeña.

Hilo de algodón perla: Es brillante y torcido. A diferencia del hilo de algodón, no puede separarse en hilos. Sin embargo, puede conseguirse en diversos grosores.

Hilo de algodón suave: Es grueso y no mercerizado. Tiene un acabado mate y es ideal para principiantes que están trabajando con una tela de 6 orificios por pulgada que se conoce como "Binca".

Rayón para bordar: Altamente sedoso y de seis hebras.

Rayón giro Z: Es sedoso, tiene cuatro hebras y se tuerce en dirección al movimiento de las manecillas del reloj.

Hilos metálicos: Hay una amplia gama de donde escoger. Son ligeramente abrasivos y tienden a deshilacharse en los extremos. Requieren de una aguja de ojo grande para perforar un orificio más grande en la tela y reducir la tensión tanto en el hilo como en la tela. Por esta razón es mejor trabajar con trozos cortos de hilo.

Filamentos combinables: Hilos metálicos muy finos que se combinan con otros en la misma aguja para crear efectos especiales (pág. 13).

Hilos multicolores: Se tiñen de colores o en diferentes tonos del mismo color, a intervalos regulares, durante su fabricación.

Hilos teñidos a mano: Se tiñen a mano usando uno o más colores, es posible que al exponerse a la luz o al lavarse pierdan la intensidad de sus colores.

Hilos para bordar a máquina: se consiguen de colores sencillos o multicolores, como los hilos para bordar a mano. La mayoría de los hilos están numerados del 100 al 12; los números más altos corresponden a los hilos más finos. Si usas un patrón de bordado digitalizado, usa un hilo número 40. Los hilos más gruesos que los de número 30 por lo general son demasiado pesados para la mayoría de los diseños de bordado. Los hilos brillantes para bordar a máquina añaden lustre a los puntos de bordado. Su suavidad y flexibilidad facilitan la libertad de movimiento al coser.

Hilo de algodón para bordar a máquina: Normalmente es número 50, pero el acabado mate le da una apariencia más gruesa.

Hilo de poliéster para bordar a máquina: No se decolora y es durable. Es compatible con el rayón, así que pueden usarse juntos.

Hilo de rayón para bordar a máquina: Tiende a resbalarse, por eso es aconsejable llenar la bobina con hilo de algodón o de poliéster del mismo color, y mantener el rayón, que es brillante, en la superficie de la tela. Los colores del rayón pueden decolorarse bajo la luz del sol cuando es demasiado fuerte o cuando el bordado se lava con frecuencia.

Seda: se consigue en carretes para coser a máquina. Verifica si pueden lavarse en casa o solo en la tintorería.

Puedes conseguir catálogos de colores y tonos que incluyen muestras de los hilos en sí, con las empresas fabricantes más importantes, como DMC, Anchor, Coats, Madeira y Kreinik. Y pueden adquirirse por Internet. También existe software que proporciona colores que corresponden entre sí aunque sean de diferentes marcas.

SEGUNDA PARTE

MÉTODOS Y TÉCNICAS PARA BORDAR A MANO

CÓMO TRANSFERIR EL DISEÑO

Éstas son tres técnicas estándar para transferir un diseño a la tela.

A escala

(Si quieres que el diseño sea más grande invierte el orden de los pasos que se dan a continuación.)

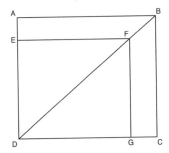  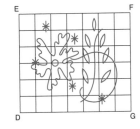

1 Calca el diseño y enciérralo en el rectángulo ABCD. Traza una diagonal de la D a la B. Mide y marca la altura reducida (ED) o el ancho reducido (DG) y con la ayuda de una escuadra, dibuja líneas paralelas a través de la diagonal y en dirección ascendente hasta ella (DB), que se encuentren en el punto F.

2 Divide el rectángulo ABCD en cuadros sobre el diseño original.

3 Haz cuadros en una hoja más pequeña, como en EFGD, con el mismo número de divisiones, y copia el original, cuadro por cuadro, hasta que el diseño reducido esté completo.

Calcar con papel carbón

Dibuja o calca un diseño en papel delgado. Coloca una hoja de papel carbón para modista, boca abajo, en el lado derecho de la tela (usa un color claro en telas oscuras y viceversa). Coloca el diseño sobre el papel carbón y sujeta las tres cosas juntas con alfileres. Dibuja firmemente sobre el diseño una vez más para transferir la imagen a la tela.

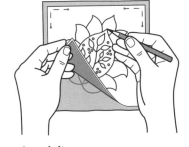

Transferir con plancha caliente

Dibuja el diseño en papel para calcar. Voltéalo y transfiere la imagen invertida con un lápiz para transferir especial para bordados. Coloca el lado que se transfiere hacia abajo, sujeta el diseño con alfileres al lado derecho de la tela. Plancha el papel directamente con una plancha que no esté muy caliente durante unos segundos. No deslices la plancha para que la imagen no se manche.

CÓMO PREPARAR LA TELA

Casi cualquier tela puede bordarse, desde el organdí de seda más fino hasta el fieltro o la piel. Lo primero que debes hacer es preparar la tela, ya sea que vayas a utilizar un aro (bastidor) o no; por ejemplo, debes planchar las arrugas, recortar los bordes, o quizás necesites teñir la tela o darle color con pintura en aerosol.

A veces, la tela de fondo se usa sola, y a veces se le cose un forro de muselina fina. Una tela pequeña o de forma irregular puede hilvanarse sobre un trozo de tela más grande para que sea fácil trabajar en ella. Corta un hueco en la tela de apoyo por el revés, para poder hacer el bordado sólo en el material de arriba. El uso de estabilizadores se explica en la página 34.

Cuatro formas de proteger los bordes

Toma en cuenta que, en los ejemplos 3 y 4, al final tendrás que recortar 1 cm a todo el derredor. Las sustancias químicas y adhesivas dañan la tela al paso del tiempo.

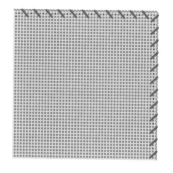

1 Haz un pespunte a mano alrededor de los bordes, usando hilo de algodón y si deseas hazle una bastilla pequeña.

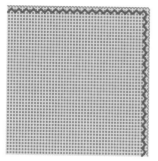

2 Haz una puntada en zigzag alrededor de los bordes con la máquina de coser.

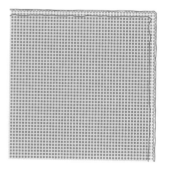

3 Aplica generosamente un líquido que evite que la tela se deshilache y permite que se seque antes de empezar a trabajar.

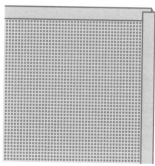

4 Enmarca la tela con cinta adhesiva.

Organizador de hilos – Tal vez te gustaría hacer un organizador para usarlo durante tu proyecto. Corta un trozo de hilo de cada color de aproximadamente 45 cm de largo y átalo a una tarjeta en cuyo costado hayas perforado el número de orificios que necesites. Ahí el hilo está listo para que lo enhebres a la aguja cuando lo necesites. Escribe el nombre del proyecto en la parte superior y cerca de cada orificio escribe el número que el fabricante asigna al tono del hilo; así tendrás un registro práctico cuando termines.

Los hilos metálicos tienden a torcerse o romperse con más facilidad, de modo que es aconsejable que cortes trozos más cortos (aproximadamente 30 cm). También tienden a deshilacharse en los extremos, lo que puede evitarse con el uso de un líquido que evite que se deshilachen. Los extremos pueden prepararse con anticipación en el organizador de hilos, y al final pueden cortarse.

CÓMO PREPARAR LOS HILOS

Cuántas hebras usar

Como regla, el número de hebras de hilo de algodón con las que coses debe ir de acuerdo con el grosor del hilo que sacas de un borde de la tela.

Contorno de una hebra

Muchos diseños de punto de cruz que muestran imágenes llevan un borde de punto atrás. A menudo se hace con hilo negro usando solo una o dos hebras de hilo de algodón.

Cómo separar y recombinar el hilo de algodón

Si se usan varias hebras de hilo de algodón directamente de la madeja, pueden producirse puntadas abultadas, así que vale la pena tomarse la molestia de separar las hebras, emparejarlas y volver a juntarlas en la misma dirección. Esto reduce los torcimientos y evita que el hilo se enrede; además las puntadas quedarán mejor.

Toma una hebra con firmeza por la parte superior y baja la otra mano, separando las demás hebras hasta que la hebra que tomaste esté libre. Las otras formarán una bolita, pero no se harán nudos. Al final, todas las hebras quedarán derechas y puedes volver a juntarlas como lo desees.

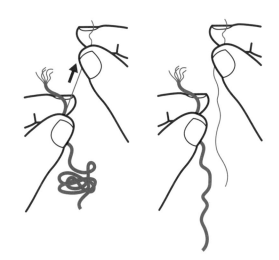

Enhebrar con hilos de diferentes colores

Para enhebrar una aguja con hilos de diferentes colores, se separan las hebras (ver arriba); es una buena forma de introducir efectos en la textura del bordado y de crear colores adicionales sin comprar más hilos; por ejemplo, al combinar una hebra azul y una color de rosa se produce un tono malva. También hay hilos metálicos muy finos conocidos como "filamentos de mezcla" que están diseñados para combinarse con hilos de algodón ordinarios.

El filamento de mezcla y el hilo de algodón no se resbalan cuando el filamento se enhebra como se muestra en las ilustraciones. Después el hilo de algodón se enhebra como de costumbre.

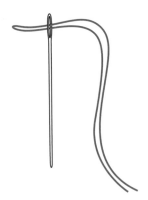

1 Haz un lazo con el filamento y enhébralo en la aguja.

2 Pasa los extremos libres por el lazo.

3 Jala los extremos del filamento muy suavemente para fijarlo en el ojo de la aguja.

CÓMO EMPEZAR Y REMATAR

Sin nudos

Los nudos que se hacen en la parte de atrás se ven como bultos de mal aspecto por el derecho cuando planchas tu trabajo al terminarlo con el fin de colocarlo en el lugar donde va a quedar. Hasta podrían pasar a través de la tela si es muy suave. Por lo tanto, al empezar a coser, pasa tu aguja por el revés, dejando un extremo libre de 3 cm por detrás. Sostenlo contra la tela al trabajar y pronto quedará atrapado entre las puntadas.

La forma correcta de rematar es pasar el hilo bajo tres o cuatro puntadas por el revés, ya sea en sentido horizontal o vertical. Pasar el extremo alrededor de una de esas puntadas ayuda a asegurarlo.

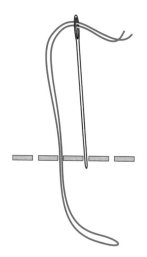

Nudos cortados

Primero haz un nudo al final del hilo e introduce la aguja desde el *lado derecho* hacia atrás, dejando el nudo en la superficie de la tela. Después, vuelve a pasar la aguja más o menos a 2.5 cm del nudo y comienza a coser hacia él. Haz puntadas parejas

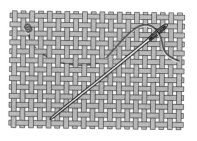

y asegúrate de cubrir por completo el hilo por la parte de atrás. Cuando termines con esto, corta el nudo desde el frente.

Un nudo que se va a cortar y que está a cierta distancia del bordado no queda cubierto por las puntadas. Cuando se corta, queda un extremo más largo en la parte de atrás. Se enhebra en la aguja y se entreteje

El lazo para comenzar o el nudo "cabeza de alondra"

Dos condiciones favorecen este método: En primer lugar, se trabaja con un número par de hilos de algodón; y en segundo, el largo del hilo con que se trabaja debe aumentarse a 90 cm.

Separa una hebra de hilo de algodón si estás cosiendo con dos (separa dos si estás cosiendo con cuatro, y tres si estás trabajando con seis). Dobla las hebras y enhebra los extremos en tu aguja.

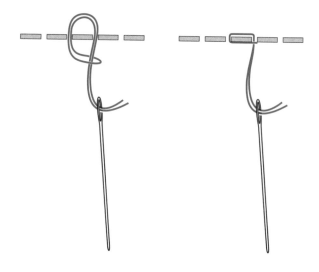

1 Clava la aguja a través de la tela desde el revés de la tela hacia el derecho y jala suficiente hilo para dejar un pequeño lazo en la parte de atrás.

2 Haz la primera mitad de un punto de cruz y teniendo la aguja de nuevo en la parte de atrás, pásala por el lazo que dejaste ahí.

3 Al jalar el hilo, éste hará que el lazo se acomode bien contra la tela.

DIRECTORIO DE PUNTADAS

Las puntadas que aparecen en este directorio se presentan en "familias", lo que facilita que se hagan comparaciones interesantes y abre la puerta a posibilidades. En la página 48 se presenta una lista en orden alfabético. Las ilustraciones muestran la forma en que la aguja entra y sale de la tela y muestran las puntadas en que la aguja pasa detrás de una parte de la puntada sin penetrar en la tela.

PUNTADAS CON NUDOS

Nudo francés

1 Envuelve la aguja dos veces con el hilo y jala suavemente para apretar los lazos hacia la punta de la aguja.

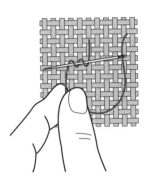
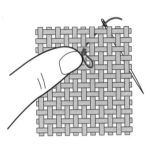

2 Introduce la aguja, presiona con el pulgar para sostener los lazos y jala el hilo suavemente, pero con firmeza, a través de la tela, dejando un nudo perfecto en la superficie.

Nudo "bullion"

Usa una aguja recta con ojo angosto para que el hilo pase tan suavemente como sea posible a través de los lazos. Sostén los lazos con el pulgar, hasta que la aguja y el hilo hayan pasado. Regresa para completar la puntada y apriétala con cuidado.

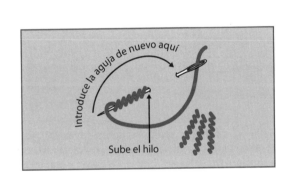

Introduce la aguja de nuevo aquí

Sube el hilo

Nudo de cuatro líneas

1 Haz una puntada vertical y sostén el hilo a través del punto medio mientras deslizas la aguja hacia abajo en diagonal de derecha a izquierda. El hilo cuelga formando un lazo por debajo de la vertical.

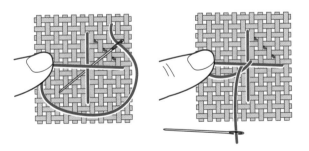

2 Jala la aguja y el hilo con cuidado a través del lazo para formar un nudo en el centro. Lleva la aguja hacia la izquierda, al nivel del nudo, e introdúcela para completar la cruz.

Puntada con nudo

Haz una sola puntada diagonal, haz un lazo doble sobre ella e inserta la aguja directamente hacia abajo. Saca la aguja para formar el nudo.

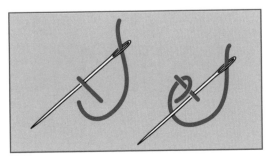

PUNTADA SIMPLE Y PUNTO ATRÁS

Puntada simple

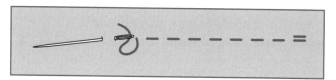

Sujeta el hilo con dos puntadas pequeñas en el mismo lugar. Con la aguja al frente, hazla entrar y salir de la tela una y otra vez, ininterrumpidamente. Las puntadas y los espacios entre las puntadas deben ser del mismo tamaño. Remátala con un punto atrás al final.

Punto atrás

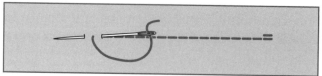

Empieza de la misma forma en que empezaste la puntada simple y luego haz una puntada hacia atrás en el espacio que sigue a la última puntada que hiciste. Repite esto moviendo la aguja hacia atrás, hasta el punto donde terminó la puntada anterior.

Puntada Holbein o doble puntada simple (de bastilla)

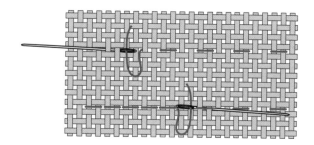

Es parecida al punto atrás, pero en realidad consta de dos pasadas de puntadas simples; la segunda pasada regresa y llena precisamente los espacios que quedaron vacíos al hacer las primeras puntadas. Si se hace con precisión, hace que la parte de atrás quede más lisa que la de punto atrás y es ideal para proyectos que deben verse bien por ambos lados, como los marcadores de libros.

Escalones con doble puntada simple

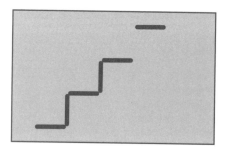

Puntadas en escalón hachas con dos pasadas. En este caso, las puntadas simples verticales llenan los espacios vacíos entre las puntadas horizontales. Las puntadas deben ser del mismo largo y deben formar ángulos rectos perfectos entre sí.

Puntada (Bosnia) colmillo de perro

Se trabaja de manera similar a la doble puntada simple. Las puntadas oblicuas regresan por una línea de puntadas verticales que están a la misma distancia. También es adecuada para bordar contando hilos.

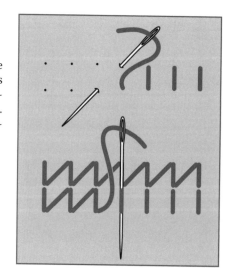

Puntada simple entrelazada

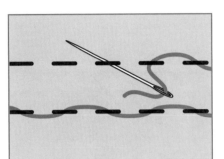

Desliza la aguja hacia arriba y hacia abajo a través de la línea de puntada simple sin penetrar en la tela hasta llegar al final. Termina por el revés.

Puntada simple trenzada

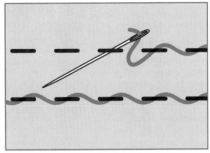

Ésta es otra forma eficaz de usar un segundo color. Trenza el hilo deslizando la aguja a través de cada puntada simple sólo en una dirección. Al igual que la puntada simple entrelazada, se hace sin penetrar en la tela hasta llegar al final. Rematas el hilo por el revés de la tela.

Punto atrás con entrelazado doble

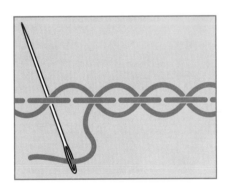

El entrelazado doble produce una línea sólida. Desliza la aguja hacia arriba y hacia abajo a través de los puntos, sin penetrar en la tela, hasta llegar al final. Remata por el revés de la tela. Repite hasta que las puntadas estén totalmente entrelazadas por arriba y por abajo.

Punto pequinés

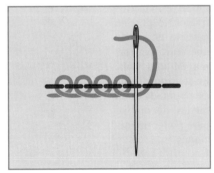

Primero trabaja una línea de punto atrás pequeño y luego haz lazadas con el segundo hilo, pasando por los puntos sin perforar la tela. El segundo hilo avanza por dos puntos y retrocede uno en cada acción completa.

Punto atrás enrejado

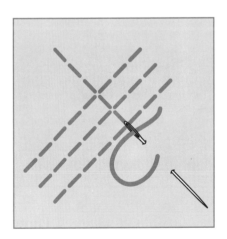

Éste es un diseño diagonal de líneas de punto atrás. El final de los puntos debe coincidir.

PUNTOS RECTOS Y CRUZADOS

Moteado

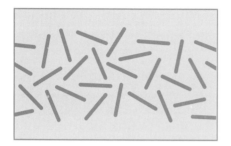

Puntadas rectas muy pequeñas hechas en diferentes direcciones y distribuidas con uniformidad. Ésta es una puntada muy útil para dar textura a ciertas áreas.

Punta de flecha

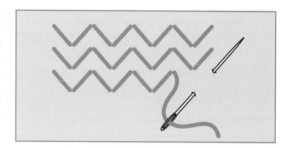

Se trabaja en sentido vertical u horizontal; los puntos siempre deben estar en ángulo recto entre sí. Combina bien con otras puntadas y también es adecuada para bordados en los que se cuentan hilos.

Punto de helecho

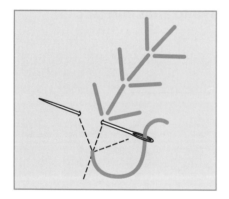

Tiene tres partes que pueden ser del mismo largo (como se ve en la ilustración) o pueden hacerse de modo que tengan la forma de una hoja. En su forma lineal, esta puntada es un medio decorativo para poner aplicaciones.

Punto de espina

Puntadas muy cercanas que se trabajan desde el borde exterior hacia una línea central donde se traslapan.

Punto de gavilla (sencilla)

Es adecuado para bordado en el que se cuentan hilos. Haz tres puntos rectos, en sentido vertical u horizontal. Saca la aguja por en medio y pásala dos veces alrededor de los tres puntos sin penetrar en la tela, apriétalos, y vuelve a meter la aguja una vez más.

Punto de cruz

El punto de cruz se trabaja con el método de contar hilos en una tela de tejido uniforme (pág. 9). La regla más importante sobre el punto de cruz es que todos los puntos van en una dirección para lograr un aspecto uniforme.

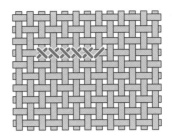

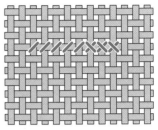

En el método inglés tradicional, se completa cada X antes de pasar a la siguiente.

En el método danés se hace primero una parte de las X, y se completan en la pasada de regreso.

Punto de doble cruz (Esmirna)

Usando el método de contar hilos, se trabaja un punto de cruz sobre otro en sentido vertical. Sigue los números.

Punto de cruz en caja

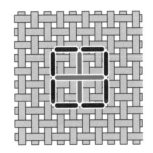

Usando el método de contar hilos, haz un punto de cruz vertical. Enciérralo en una caja con un cuadrado de punto atrás o con doble puntada simple.

Cruz trenzada

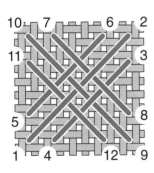

Usando el método de contar hilos, sigue los números, trenzando las últimas 3 puntadas hacia dentro y hacia fuera del primer conjunto de puntadas.

Punto de ojo argelino

1 Saca la aguja en la base del lado izquierdo y haz 8 puntadas rectas en la dirección de las manecillas del reloj, llegando al mismo orificio central; sigue los puntos numerados.

2 Jala las puntadas con firmeza para crear un orificio en el centro. No permitas que lo cubran los hilos que están por el revés de la tela.

Punto de cruz de brazo largo

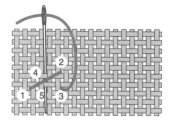

1 Siguiendo los números, haz una puntada diagonal larga hacia la derecha. Mete la aguja en la parte superior y sácala de nuevo hacia abajo. Cruza la puntada anterior. Una vez más, mete la aguja en la parte superior y sácala hacia abajo.

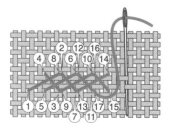

2 Repite y forma una hilera, siguiendo los puntos numerados. Haciendo varias hileras se puede tener un fondo de aspecto muy sólido.

Punto de arroz

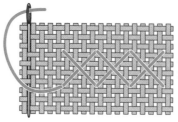

1 Haz una hilera de punto de cruz contando hilos en una tela de tejido muy uniforme.

2 Con un segundo color y con un hilo más delgado, haz punto atrás sobre la mitad de cada punto de cruz para formar la característica forma diamante.

PUNTO ESCAPULARIO BÁSICO

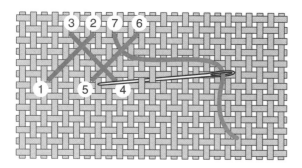

Punto escapulario básico Forma una diagonal de izquierda a derecha. Introduce la aguja en la parte superior y sácala hacia la izquierda. Cruzando la puntada anterior, haz otra puntada diagonal hacia la derecha y hacia abajo. Mete la aguja en la base y sácala a la izquierda. Repite el procedimiento para formar una fila, siguiendo los números que aparecen en los diferentes puntos.

Punto escapulario entretejido

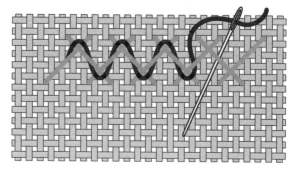

Haz una hilera de punto de escapulario. Remacha un segundo hilo de otro color por el revés de la tela, rodeando los puntos ya existentes. Pasa la aguja por los puntos entrando y saliendo del punto de escapulario sin penetrar en la tela. Al final pasa la aguja al revés de la tela y remata el hilo

Punto escapulario atado

Trabaja una línea en zigzag de puntada coral (p. 24) sobre una base de punto escapulario.

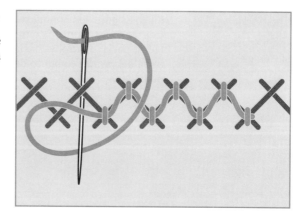

PUNTOS: TALLO, ABIERTO, MOSCA Y PLUMA

Punto de tallo

Punto de tallo elevado

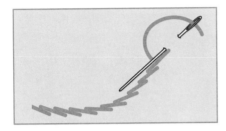

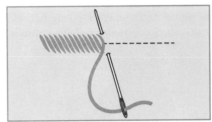

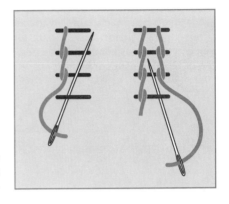

1 Para seguir líneas curvas o rectas, haz puntadas de punto atrás inclinadas, sacando la aguja un poco arriba del punto anterior.

2 Crea un efecto más grueso, parecido a una cuerda, insertando la aguja con un ángulo más inclinado y aumentando el número de puntadas.

Empieza con un punto tallo sobre una serie de barras de base sin penetrar la tela (izquierda). Trabaja simétricamente de cada lado hacia dentro (derecha). Úsalo como banda o como relleno.

Punto abierto

Punto de mosca

Es una línea pequeña y delicada de puntadas que normalmente se hacen con seda formando un marco. En cada puntada, la aguja penetra en el hilo con el que se está trabajando.

Empezando por la izquierda, se forma un lazo que cuelga entre dos puntos más altos; la aguja sale por un punto central más abajo. Sostén el lazo con el pulgar de modo que quede plano (izquierda). Una puntada pequeña sujeta el lazo y otra puntada empieza a la izquierda (derecha). La puntada que sujeta puede tener cualquier largo y la puntada completa se combina para formar bordes y patrones generales.

Punto de pluma

Punto doble pluma

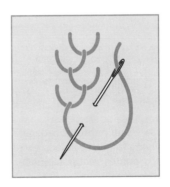

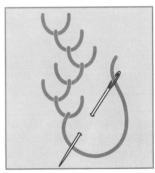

Haz puntadas alternas a la izquierda y a la derecha. Siempre inclina la aguja hacia el centro mientras sostienes el hilo hacia abajo con el pulgar.

Es similar al punto pluma sencillo, con dos puntos adicionales que se trabajan a cada lado de la línea de las puntadas.

PUNTADAS TIPO CADENA

Punto de cadeneta

Es un punto hecho con una lazada que se usa para contornos y para rellenos. Se ve bien con tres o más hebras de hilo de algodón para bordar.

Saca la aguja por la tela y vuelve a insertarla al lado del orificio por donde salió, dejando una lazada en la parte superior. Sube la aguja de nuevo a través de la lazada, abajo del punto por donde empezaste. Jala el hilo suavemente hasta que la lazada forme un eslabón redondeado. Repite.

Punto de margarita

Es el punto favorito para hacer flores y hojas. Es una variación del punto de cadeneta y puede hacerse para formar un círculo de tantos pétalos como lo desees.

1 Comienza igual que para el punto de cadeneta, pero trabaja sólo con un lazo.

2 Haz una puntada muy pequeña para sostener el lazo abierto en su punto más ancho. Saca de nuevo la aguja en el punto donde quieras empezar el siguiente pétalo.

Un delicado diseño eduardiano para bordarse con punto de margarita, punto tallo o punto abierto. Es ideal para un proyecto de manteles o sábanas, como una unidad, como un esquinero o formando un diseño tipo anillo.

Cadeneta a cuadros

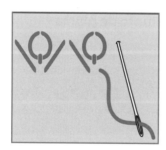

Enhebra la aguja con hilo de dos colores y trabaja con ellos puntos cadeneta alternos. Ten cuidado de mantener el hilo que no estés usando sobre la punta de la aguja.

"Tete de boeuf"

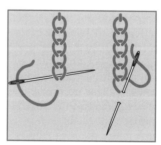

Éste es un punto de cadeneta separado que se coloca entre dos puntos rectos pequeños en forma de V.

Cadeneta ancha

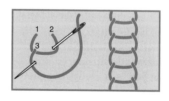

Punto de cadeneta inversa; lo mejor es hacer los puntos muy pequeños. Empieza con una línea vertical de puntada simple. Vuelve a pasar la aguja a través de ella sin perforar la tela (izquierda). Forma el eslabón de una cadena haciendo un punto en la tela (derecha), y repite.

Cadeneta abierta

Mantén la aguja inclinada (izquierda). Entre más horizontal esté, más ancho y menos profundo será el eslabón de la cadena (derecha). Este punto luce más cuando se le agregan detalles ornamentales.

Cadeneta con punto atrás

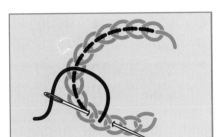

Haz una cadeneta base. Usando un hilo de otro color si lo deseas, saca la aguja en el centro del segundo punto de cadeneta y vuelve a introducirla en el primero, volviendo a sacarla a través del tercer punto.

Cadeneta trenzada

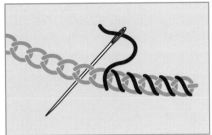

Cuando el segundo hilo se trenza sobre todo el ancho de la cadeneta y se jala bien, la cadeneta parecerá una cuerda.

Punto de cadeneta de banda elevada

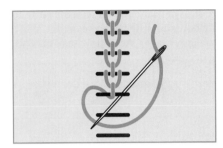

Se trabaja sobre una base de puntos rectos a espacios cercanos. El punto de cadeneta completa la banda sin penetrar en la tela.

Punto coral en zigzag

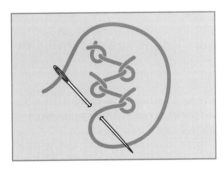

Trabajando de izquierda a derecha entre dos líneas paralelas (dibujadas o hilvanadas), forma la primera lazada hacia la izquierda como un punto de cadeneta con los brazos cruzados. Saca la aguja a través de la lazada, jala para formar un nudo y repite hacia la derecha. Estos puntos deben trabajarse a una distancia muy cercana.

Punto de cadeneta abierta

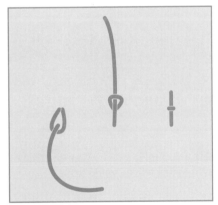

Haz un solo punto de cadeneta (izquierda) pero en lugar de ser un punto atado, jala el hilo en la dirección opuesta (centro), apretando simultáneamente la lazada para que ésta se convierta en una atadura pequeña y plana. La aguja penetra la tela para completar el punto (derecha). A menudo se usa para resaltar un contorno.

Punto de trigo

Dibuja o hilvana una línea vertical como guía, y haz dos puntos rectos hacia dentro formando una V en ángulo recto. La aguja vuelve a salir en la línea, aproximadamente 6 mm hacia abajo. Desliza la aguja a través de la V sin penetrar en la tela (izquierda). Vuelve a meter la aguja para hacer una lazada y sácala de nuevo lista para repetir (derecha).

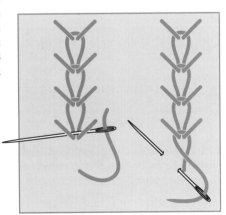

PUNTADAS DE OJAL Y PUNTO DE PERGAMINO (SCROLL)

Punto de festón

Podrías pensar que esta puntada pertenece al ámbito de la costura doméstica y no al del bordado, y de hecho se originó con el propósito práctico de dobladillar mantas, cobijas y toallas. Actualmente es más probable que se use para propósitos puramente decorativos.

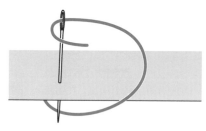

1 Sujeta el hilo por el revés de la tela y saca la aguja en el borde. Haz la puntada con la altura y el ancho deseados, hacia la derecha; sácala una vez más, directamente hacia abajo.

2 Pasa la aguja hacia delante a través del lazo formando media puntada y tensa el hilo contra el doblez. Repite para formar una hilera.

Puntada de ojal

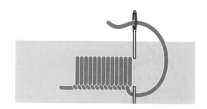

Tiene la estructura básica del punto de festón y se desarrolló para coser los bordes de un ojal. Las puntadas se hacen muy cerca una de otra, como en el punto satín (pág. 26) y puede usarse para dar buen aspecto a los bordes rectos y curvos; también se usa en el bordado tipo calado, como el *borderie anglaise* (pág. 36).

Punto coral

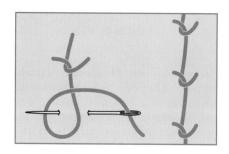

Mantén el hilo tenso y mueve la aguja hacia dentro y hacia fuera de la tela a cada lado del hilo (izquierda). Saca la aguja a través de la lazada que se produce hasta que se forme un nudo. Repítelo a intervalos regulares (derecha), en líneas rectas o curvas.

Anillo de puntada de ojal

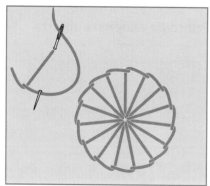

Haz una puntada de ojal en un círculo, usando una tela de tejido firme.

Pergamino (scroll)

Haz una lazada hacia la derecha y haz una puntada vertical muy pequeña en su interior. Jala el hilo para terminar el pergamino. Haz otra lazada hacia la derecha y repite los mismos pasos en línea recta. Se ve mejor si se hace con hilo torcido, no con hilo de hebras.

Barra doble con puntada de ojal

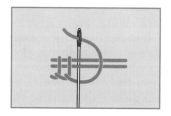

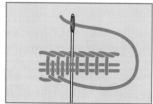

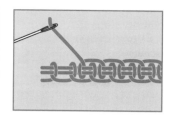

1 Haz dos o tres puntadas largas con una aguja de tapicería y con hilo firme. Trabaja una pasada de puntada de ojal espaciada.

2 Voltéala y trabaja una segunda hilera, intercalando los puntos con los puntos verticales.

3 Puede hacerse una variación colocando la puntada de ojal sobre dos puntos verticales.

PUNTOS DE CRETA

Punto de Creta

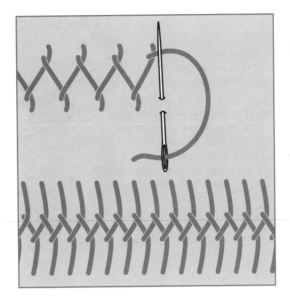

Los puntos pueden trabajarse muy espaciados (arriba) o muy cerca (abajo). Se ven bien en los contornos y en los rellenos. El efecto de cruz se logra manteniendo el hilo hacia fuera de la aguja en cada puntada.

Relleno abierto con punto de Creta

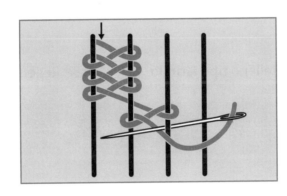

1 Pon una base con hilo fuerte. El punto de Creta se trabaja sin penetrar en la tela, excepto al principio y al final.

2 El punto se trabaja en forma diagonal en grupos de cuatro.

PUNTO DE INSERCIÓN

Inserción torcida

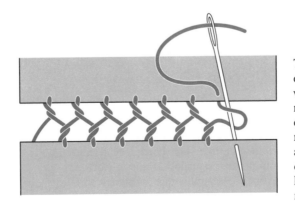

Toma los dos bordes que van a unirse y colócalos en forma paralela antes de hilvanarlos a un papel resistente que actuará como base. Trabájalos de izquierda a derecha. Saca la aguja por el borde inferior y métela en el borde superior de atrás hacia delante, ligeramente a la derecha. Mueve la aguja hacia abajo y hacia arriba del hilo en el espacio, luego mete la aguja en el borde inferior de atrás hacia delante, de nuevo hacia la derecha. Repite hasta llegar al final, retira el papel.

PUNTADAS PARA RELLENAR

Punto satín (Damasco)

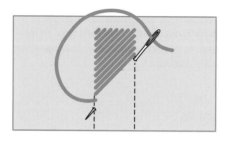

Es probable que esta puntada se haya originado en China como complemento a los hermosos hilos de seda que se producen allá. Haz los puntos muy cerca unos de otros para cubrir la tela por completo. La aguja debe entrar y salir en el mismo ángulo dentro de un contorno definido.

Este diseño chino de una golondrina puede trabajarse en secciones de punto satín. Para darle un brillo sutil, puedes usar hilo de seda para bordar, en lugar del hilo de algodón de seis hebras. Distribuye las golondrinas en pares, frente a frente, como el reflejo de un espejo, o forma un círculo con seis o siete golondrinas.

Punto satín largo y corto

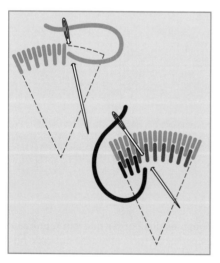

Usando un marco, trabaja la primera hilera alternando puntos satín que sean claramente cortos y largos, siguiendo el modelo que se presenta a la izquierda. Combina las siguientes hileras con puntos del mismo tamaño (derecha), usando diferentes colores para lograr un efecto sombreado.

Relleno tipo ladrillo

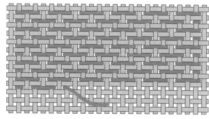

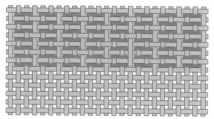

Trabaja de ida y vuelta, ya sea en dirección vertical u horizontal, sobre tela de tejido uniforme. Los bordes se hacen con puntos sencillos largos o cortos (arriba). Los puntos que les siguen son del mismo largo y van en paralelo. Otra opción es colocar los puntos en columnas (abajo). Ambas versiones requieren una tensión uniforme.

Relleno tipo ladrillo con cruces

1 Trabaja grupos de cuatro puntos satín, verticales u horizontales, dejando espacios del mismo tamaño para el punto de cruz.

2 Asegúrate de que todos los puntos superiores de las cruces vayan en la misma dirección.

Remiendos

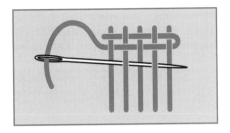

Forma una base de hilos verticales y, sin penetrar la tela, excepto en los puntos de inicio y de terminación, entreteje el hilo horizontal de lado a lado. Si lo deseas, puedes usar colores diferentes para crear un patrón en el tejido.

Relleno de enrejado con dos hilos (couching)

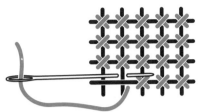

Haz una reja con puntos rectos a espacios iguales. Con hilo de otro color, si lo deseas, pasa la aguja a través de cada intersección y haz un punto de cruz ahí. Éste es un buen relleno para bordado tipo blackwork (en hilo negro).

Punto rumano

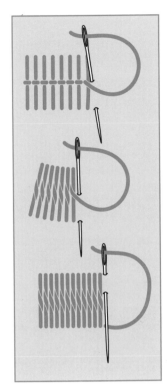

Éste es un excelente sustituto para el punto satín; es muy versátil en lo relacionado con los espacios y el arreglo en bloques, abanicos, etc. Los puntos verticales largos se sujetan con el siguiente punto que se trabaja a través de ellos, ya sea en forma horizontal (arriba) o diagonal.

Relleno de nubes

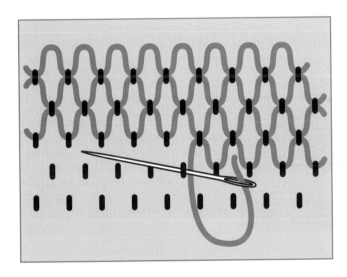

Lo mejor es hacer este punto con hilo de bordar o hilo perla. Trabaja hileras regulares de pequeños puntos verticales con espacios alternos. Enlaza hilo de otro color a través de los puntos base, sin penetrar en la tela. Dos lazos coinciden en la parte baja de cada punto vertical. Otra alternativa es enlazar los puntos con un listón angosto.

Punto armiño

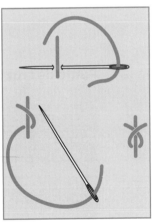

Trabaja un punto largo y recto (arriba) y átalo con una cruz. Haz los puntos a espacios regulares; las cruces son más anchas en la parte superior que en la base.

PUNTOS CON DOS HILOS (COUCHING)

"Couching" es una técnica en la que un hilo (más pesado) se coloca en la superficie de la tela y se fija en su posición con un hilo más fino. Es un método económico que ayuda a hacer rendir los hilos caros o de muy alta calidad, pues permanecen en la superficie y no se "desperdician" por el revés; y si la tela base es delicada y los hilos que se combinan son pesados, ni la tela ni los hilos se dañan en el proceso.

Puntos hechos con dos hilos (couching)

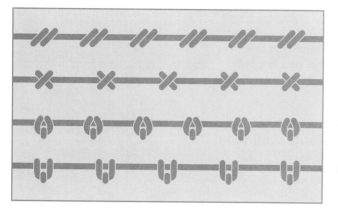

Sencillo

Punto de cruz (página 19)

Cadena sencilla (página 22)

Punto mosca (página 21)

Punto de cruz atado

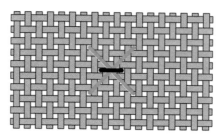

En una tela de tejido uniforme, trabaja un punto de cruz y saca la aguja al nivel del centro. Haz un punto recto en el centro. Si lo deseas, haz una hilera de punto de cruz como base, luego haz los puntos centrales con una hilera de puntos sencillos con hilo de otro color.

Bujará

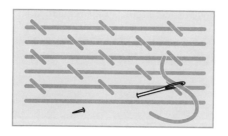

El primer hilo debe colocarse bastante suelto y debe sostenerse con puntos pequeños a espacios iguales que se tensan sobre el hilo base. Este punto también es una forma sencilla y rápida de producir un relleno sólido; en ese caso, el hilo de base se trabaja con líneas inclinadas y el espacio entre los puntos que lo atan se alterna de una hilera a la otra.

PUNTOS PARA FRUNCES NIDO DE ABEJA

El nido de abeja es una forma tradicional de bordado a mano que se trabaja sobre dobleces pequeños y parejos de tela preencogida (usa tres o cuatro veces la cantidad de tela del ancho final). Cuando se retiran los hilos que se usaron para sostener los dobleces, el resultado es muy elástico. Es ideal para los vestidos de niña. Se puede usar en adornos de tela y en paneles de seda con frunces nido de abeja. El lino o el terciopelo se ven muy elegantes en fundas para cojines.

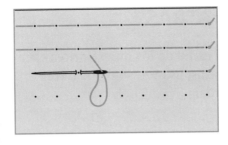

1 A menos que estés haciendo los frunces nido de abeja en una tela a cuadros o rallas, donde el patrón de la tela sirve de guía, tendrás que transferir con la plancha, en el revés de la tela y siguiendo la trama, una serie de puntos para hacer los frunces. Haz las costuras entre los puntos, como se muestra en la ilustración, usando un hilo de un color que marque un contraste y que después sea fácil de retirar.

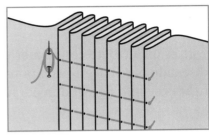

2 Jala los hilos para hacer los frunces, pero no los aprietes demasiado. Ata o envuelve los pares en alfileres, manteniendo la tela con el ancho deseado. Asegúrate de que los frunces sean parejos. Borda en la parte frontal de los dobleces. Usa hilo de algodón para bordar, pero trabaja sólo con tres hebras a la vez, con una aguja para bordar.

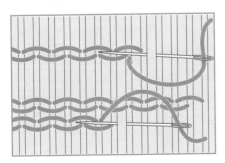

Punto de tallo – Como se supone que el nido de abeja debe ser relativamente elástico, trata de no trabajar con el hilo demasiado tenso. Haz la primera hilera con este punto sencillo para establecer la tensión y ponerla a prueba.

Nido de abeja superficial – Éste es un punto muy elástico. Has un punto atrás abarcando dos dobleces, saca la aguja en medio de ellos, baja 6 mm y mete la aguja en el siguiente doblez hacia la derecha, de derecha a izquierda. Repite la secuencia, subiendo y bajando en forma alterna. Invierte la línea inferior para formar el patrón de nido de abeja. Verifica siempre que la posición del hilo sea correcta, ya sea arriba o abajo de la aguja.

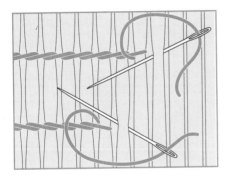

Punto cable – Éste es un punto firme. Saca la aguja a través del primer doblez a la izquierda, el hilo debe estar debajo de la aguja y haz un punto sobre el segundo doblez, sacando la aguja entre el primero y el segundo. Trabaja con el hilo arriba o debajo de la aguja en forma alterna. El punto cable doble se hace con dos hileras de punto cable que se trabajan juntas, de manera que una sea un reflejo de la otra.

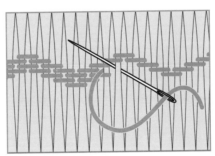

Onda cerrada doble – Éste es un punto firme. Al hacer un conjunto de escalones hacia arriba, inclina la aguja ligeramente hacia arriba y mantén el hilo sobre ella. Se hace una segunda o tercera hilera de modo que entren en los zigzags; pueden hacerse cerca unos de otros, como se muestra en la ilustración, o pueden espaciarse.

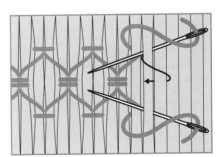

Punto diamante – Éste es un punto grande y elástico que abarca dos dobleces. Saca la aguja en la segunda línea, dirigiéndola hacia la primera. Haz un punto atrás sobre el primer doblez y luego sobre el segundo con el hilo arriba de la aguja. Baja la aguja a la segunda línea. Haz punto atrás en el tercer doblez, luego en el cuarto con el hilo debajo de la aguja. Sube la aguja al quinto doblez y repite. Inicia la segunda etapa en la tercera línea, para completar el diseño.

ALFABETO EN PUNTO ATRÁS

Éste es un alfabeto con números al estilo de los muestrarios; está diseñado para hacerse con punto atrás, usando sólo dos o tres hebras de hilo de algodón para bordar.

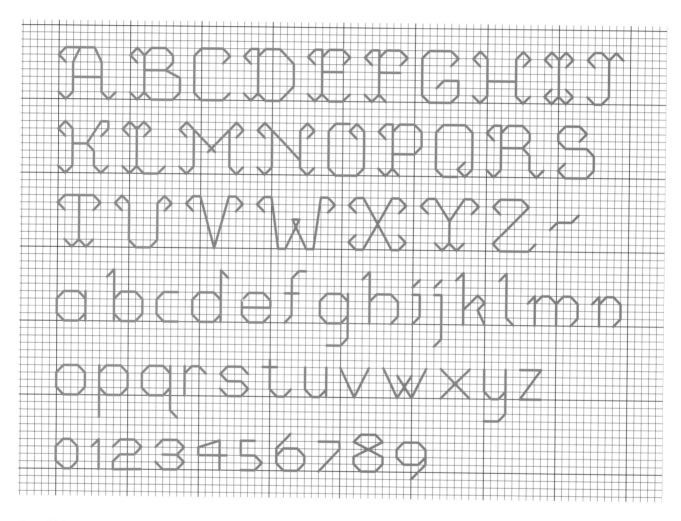

Este alfabeto no es sólo para muestrarios, también es adecuado para bordar letras en tarjetas de felicitación o para firmar y poner fechas en tus propios proyectos. Úsalo como guía cuando estés bordando monogramas en bolsas, botones forrados o pañuelos y para personalizar regalos como marcadores de libros, llaveros, carteras y estuches para teléfonos celulares.

TERCERA PARTE

MÉTODOS Y TÉCNICAS PARA BORDAR A MÁQUINA

LA MÁQUINA DE COSER

Una máquina de coser bien construida te dará años de servicio, siempre y cuando se use adecuadamente y se le dé un buen mantenimiento.

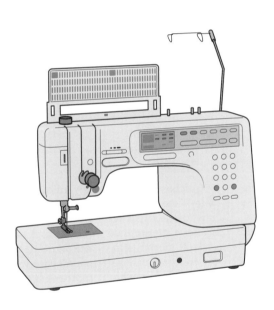

Cómo enhebrar la máquina

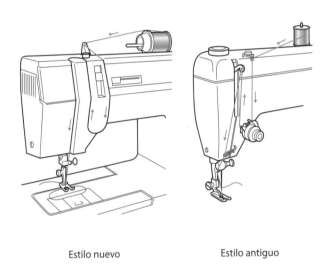

Estilo nuevo   Estilo antiguo

Si eres principiante o eres una persona que sólo usa la máquina de coser ocasionalmente, no busques otra cosa que no sea un modelo eléctrico que haga puntadas de diferentes tamaños, dobladillos, puntos elásticos y en zigzag, con sólo girar una manija, y que además lleve a cabo una buena gama de puntadas decorativas.

Las máquinas de coser computarizadas (como la que aparece arriba) se controlan mediante microchips y tienen varios motores internos, lo que las hace muy versátiles, pero también más caras. Funcionan a través de una pantalla táctil y una pantalla LCD (de cristal líquido); son capaces de memorizar y reproducir tareas hechas en el pasado y ofrecen cientos de puntos, fuentes y diseños diferentes que pueden descargarse de una PC.

Las máquinas más modernas cuentan con discos de tensión, guías para el hilo y una palanca en el interior de su estructura, lo que elimina varios de los pasos que deben seguirse al enhebrar una aguja en modelos más antiguos. Consulta el manual del fabricante. Si no tienes instrucciones impresas, busca la marca de tu máquina de coser en Internet, donde hay muchos manuales disponibles. Debes estar consciente de que algunas agujas se enhebran del frente hacia atrás y algunas de izquierda a derecha. Es probable que, en el caso de los principiantes, enhebrar la aguja incorrectamente sea el responsable de la mayoría de sus problemas al coser a máquina. Siempre eleva el pie prensatela cuando enhebres la aguja de la máquina y bájalo cuando la guardes.

Aguja, pie prensatela, alimentadores, placa de la aguja

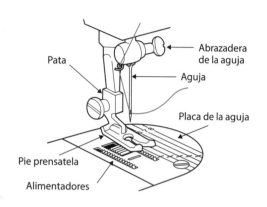

Abrazadera de la aguja

Pata

Aguja

Placa de la aguja

Pie prensatela

Alimentadores

Las agujas ordinarias pueden conseguirse en diversos tamaños, del 60 al 130 [8-19 en Estados Unidos]; guarda juegos de agujas adicionales y cámbialas con frecuencia. Evita doblarlas o romperlas, elevando la aguja antes de retirar el trabajo y no lo arrastres mientras haces las puntadas. La aguja más fina se usa para coser telas delicadas y la aguja más gruesa es para telas burdas como la sarga. Usa una aguja de punta roma para los tejidos o para telas elásticas; utiliza una aguja puntiaguda de ojo grande para enhebrar en ella hilo más grueso y penetrar varias capas de tela.

El pie prensatela mantiene la tela plana contra los alimentadores, mientras la aguja hace la puntada. Los alimentadores tienen pequeños dientes de metal que hacen que la tela se mueva del frente hacia atrás, mientras se hacen las puntadas. La placa de la aguja se coloca sobre los alimentadores y cubre la bobina. Tiene un orificio para que pase la punta de la aguja. En los puntos de movimiento libre (con o sin pie prensatela) los alimentadores se bajan o se cubren, lo que permite que la tela se mueva manualmente, a menudo mientras se le mantiene tensa con un aro o bastidor.

Cinco pies prensatelas útiles para bordar

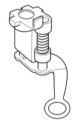

1 Para puntos retos – Éste es el pie prensatela de uso general que viene listo para usarse con la mayoría de las máquinas de coser.

2 Zigzag – Tiene una ranura horizontal para que la aguja "se mueva" al formar una línea en zigzag con el hilo. Usa este pie con diversos tipos de agujas, pero no intentes hacer el punto zigzag con ellas.

3 Para bordar/remendar – Se usa en bordado de movimiento libre, bajando los alimentadores y colocando la tela en un bastidor. Permite maniobras con la tela y ejerce un buen control sobre las puntadas y al mismo tiempo protege los dedos.

4 Colchas – Utiliza los dientes para alimentar las capas superiores e inferiores de la tela al mismo tiempo y en forma pareja y evitar que se hagan bolas. También es ideal para el vinilo, los terciopelos y telas que tienden a resbalarse o extenderse.

5 Aditamento para costura circular – Un aditamento deslizante fija el radio con una pieza que tiene una ranura para sostener el centro de la tela, mientras se cose un círculo perfecto con la puntada que se haya elegido.

Agujas para especialidades

1 Aguja gemela – Requiere dos carretes de hilo en la parte superior, pero sólo se entrelaza con un hilo que viene de la bobina. El efecto es dos líneas equidistantes de puntos en la parte superior y un zigzag por el revés. Sólo puede usarse cuando el sistema de hilos en la parte superior va del frente hacia atrás y la placa de la aguja tiene un orificio suficientemente amplio. También pueden conseguirse agujas triples.

2 Aguja de alas – La hoja a cada lado de la aguja abre el tejido de la tela en el punto donde penetra la aguja. Crea efectos decorativos que se parecen al trabajo de deshilado (ver contraportada).

La bobina

La bobina contiene el hilo inferior en una máquina de coser. Está cerca de la placa de la aguja en un compartimiento que tiene una tapa que se desliza. Aquí se junta pelusa y debe limpiarse con frecuencia. La tensión del hilo inferior se controla mediante un tornillito que regula el resorte del estuche porta bobina. Ciertas técnicas y tipos de hilo requieren una tensión alterada. Si los usas con regularidad, debes ajustar dos o tres estuches ajustados a diferentes tensiones, en lugar de aumentar y reducir la tensión de una misma bobina.

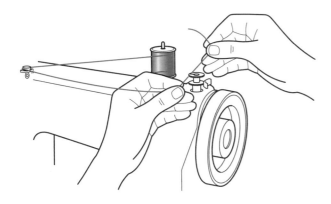

La bobina se llena automáticamente desde una bobinadora que tiene la máquina, la cual garantiza que el hilo se embobina parejo bajo tensión. Algunas bobinas pueden llenarse estando en su lugar, bajo la placa de la aguja.

Este tipo de bobina está en posición vertical en el mecanismo porta bobina y se libera mediante un pestillo. Cuando se remplaza, el hilo debe quedar debajo del resorte con un extremo libre de 10 cm.

El tipo de bobina "que se deja caer" tiene una posición horizontal debajo de la tapa. Hay una ranura en ángulo a través de la cual pasa el hilo que viene de la bobina.

Tensión del hilo

La puntada de la máquina se forma con los hilos de arriba y de abajo que se entretejen en la tela. Las personas que bordan a máquina y son creativas manipulan la tensión del hilo para causar efectos en forma deliberada.

1 Un dial de tensión controla la tensión del hilo superior; está numerado del 0 al 9. El hilo pasa entre dos o tres discos que están detrás del dial y se ajustan de acuerdo al dial.

2 Se considera que una tensión del dial entre 4 y 5 es una tensión "normal". Los hilos se encuentran en el centro de la tela y las puntadas se ven iguales en ambos lados.

3 Debajo de 4, los discos que controlan la tensión se aflojan y el hilo superior avanza con mayor libertad. Así, el hilo puede pasar a través de dos capas de tela. Puedes crear pliegues, configurando una puntada larga y jalando el hilo de abajo.

4 Por encima de 5, los discos se juntan con más fuerza y ocurre lo opuesto.

Largo y ancho de la puntada

El largo de la puntada se mide en milímetros del 1 al 6 y se controla mediante un dial o una palanca que está al frente de la máquina. Esto activa a los alimentadores. Usa las puntadas más largas (de 4 a 6 mm) para telas pesadas, pespuntes, pliegues e hilvanes. Las puntadas medianas son adecuadas para telas de peso medio. En las telas finas se usan puntadas de 2 mm. Es difícil descoser puntadas de 1 mm, así que debes estar segura de lo que estás haciendo cuando uses las puntadas más pequeñas.

El ancho de las puntadas no se aplica a las puntadas rectas. El control del ancho, que también se encuentra al frente de la máquina, establece el movimiento de la aguja cuando hace zigzag u otras puntadas decorativas. Se mide en milímetros y normalmente llega hasta 6 mm. Para bordados de movimiento libre, intenta configurar la máquina para un zigzag amplio, y hazlo rápido para lograr un efecto satinado.

EL USO DE AROS Y ESTABILIZADORES

Los fabricantes de máquinas de coser computarizadas proporcionan aros y bastidores que se mueven automáticamente para producir patrones pre-programados. Sin embargo, es posible lograr resultados impresionantes usando sólo una máquina básica y la versión de un aro con resortes para bordar a mano.

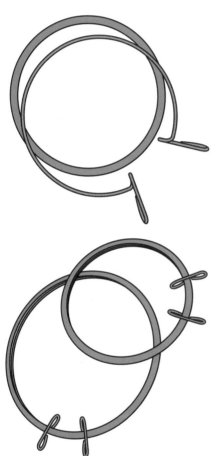

Aros con resortes

Este aro delgado se desliza bajo el pie de la máquina y es muy útil en la costura de movimiento libre. El sujetador entra en el interior del aro y mantiene la tela muy tensa. Es fácil y rápido cambiar de proyecto o mover el aro por un área grande de tela.

Vale la pena señalar que el aro tradicional de madera también puede usarse al bordar a máquina, la única diferencia es que el borde se coloca de tal manera que el revés de la tela quede plano contra la placa base.

Puedes evitar las marcas de los aros en la tela, colocando una capa de estabilizador adhesivo en el aro en sí. Retira el respaldo que está dentro del aro y coloca la tela plana contra el estabilizador. Los diseños con costuras densas requieren mucho apoyo para garantizar que el trabajo no se arrugue y los diseños más ligeros no deben tensarse demasiado.

Estabilizadores

Se usan estabilizadores arriba y abajo de la tela, con o sin un aro, para evitar que la tela cambie de lugar o se extienda mientras se borda a máquina. Existen diversas clases de estabilizadores, desde los de papel, algodón y malla abierta, hasta los de nailon y alcohol polivinílico. El tipo de estabilizador que puede "arrancarse" o "recortarse", se retira una vez que el bordado esté terminado; sólo se conserva en la parte trasera del área bordada en sí. Con frecuencia, este tipo de estabilizador se usa en camisetas, en telas tejidas y sintéticas. Otro tipo es el estabilizador suave de algodón no tejido, que se puede conseguir sencillo o como una tela que puede adherirse con la plancha, para telas elásticas.

Existe un estabilizador fácil de desprender y soluble al agua fría diseñado para pieles y telas ligeras y delicadas. Hay también una versión pesada, ideal para bordados complejos de movimiento libre, y cuando se usa sin una tela base. Ofrece a las personas que bordan la emocionante oportunidad de producir un encaje o una filigrana.

Para cualquier proyecto de bordado que no pueda mojarse o que sea demasiado delicado para soportar que se le desprenda un estabilizador, utiliza la muselina disolvente y sensible al calor, la cual se desintegra con el calor de una plancha seca o en un horno moderado y puede eliminarse con un cepillo. Finalmente, existe una tela soluble al agua caliente que puede moldearse en tercera dimensión si se permite que suficientes residuos permanezcan después de hervir.

TÉCNICAS QUE PUEDES PONER A PRUEBA

Practicar una técnica o elemento de diseño te animará a desarrollar tus ideas, en lugar de seguir rígidamente un patrón. Experimenta con los hilos y telas que quieras usar: lustrosos, mate o metálicos, pues lo que elijas puede alterar el aspecto general y el propósito de una pieza.

Patrón regular

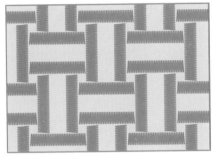

Trabaja puntos anchos en zigzag en líneas cortas paralelas en sentido vertical u horizontal. Inténtalo en tela burda y luego en terciopelo; los resultados serán muy diferentes.

Tensión dispareja

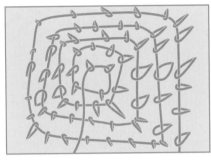

Trabaja una espiral con puntos rectos; el hilo superior debe tener una tensión muy fuerte y la tensión del hilo inferior debe ser muy suelta. Intenta usar colores diferentes en el hilo superior y en el de la bobina.

Texturas

Llena las áreas con hileras regulares de puntadas rectas con hilos de diferentes colores. Baja la aguja al final de cada hilera. Eleva el pie prensatela y gira la tela 180 grados antes de volver a bajar el pie prensatela.

Patrones de relleno

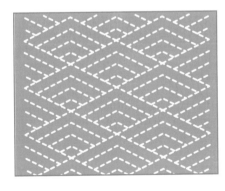

Sashiko – Un patrón de relleno que se realiza con puntos largos y rectos. Usa hilo blanco para bordar sobre tela de color oscuro para imitar el estilo japonés conocido como Sashiko.

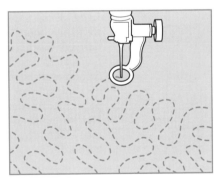

Bordado a máquina con movimiento libre – Se hace con puntos rectos, con un pie prensatela para bordar o remendar y con los alimentadores abajo. Los puntos se hacen con rapidez, pero debes mover el aro lenta y suavemente con ambas manos. Los movimientos repentinos producen puntos disparejos.

Iniciales decoradas

Ésta es una inicial formal hecha con punto satín sobre la cual se colocó una decoración de estilo libre. Las ramitas se crean con una cuerda que se hace con punto zigzag sobre una base de cordón o estambre que se pasa por la máquina a ritmo constante.

DOS EFECTOS ESPECIALES

El calado y las aplicaciones son dos técnicas de bordado que pueden hacerse tanto a mano como en la máquina de coser. Hacerlas a máquina puede ahorrar tiempo en un proyecto largo.

CALADO

Cenefa de ojal hecha a máquina

Los ojales, el "whitework" (bordado en hilo blanco sobre tela blanca fina, en especial lino) y el *broderie anglaise*, son variaciones del calado y se ven mejor cuando se bordan con hilo brillante sobre una base de algodón mate. El patrón se marca en la tela, se define con dos líneas de puntos rectos y se traza otra línea entre ellas para el "relleno", antes de empezar a bordar.

Pie prensatela para bordar ojales

El bordado se hace alrededor del orificio con punto zigzag cerrado o con punto satín. La acción vertical del pie evita que la tela se eleve con la aguja y produce puntos parejos, incluso cuando se trabaja con velocidad.

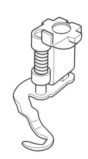

Calado

Coloca la tela por el derecho y córtala lo más cerca que puedas de la base del punto de ojal.

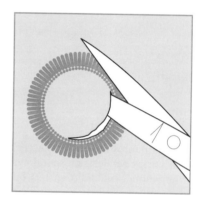

Los ojales más pequeños se hacen con la punta de las tijeras. La puntada de ojal se hace después de una ronda de puntos a lo largo de la tela para estabilizarla. Los puntos se hacen alejándose del centro, o simplemente se sobrecosen para que el borde quede bien.

Pie prensatela para aplicaciones

Los extremos de este pie son más cortos que los del pie usual para zigzag, lo que ayuda a coser con mayor fluidez y con mayor maniobrabilidad. Es especialmente adecuado para el punto satín, las aplicaciones y el "couching".

Aplicaciones hechas a máquina

Es difícil coser aplicaciones sin tener un margen. Traza el contorno final sobre la tela que elijas, recorta la aplicación con un borde de bastilla normal e hilvánala a la tela base. Cose a máquina alrededor de la línea que trazaste con puntos rectos y recorta el exceso de tela tan cerca como sea posible de la línea de puntos. La tensión superior e inferior debe ser uniforme para crear un zigzag alrededor de la forma de la aplicación. Haz las puntadas rápido para producir un punto satín, pero mueve la tela lentamente para controlar las puntadas y cubrir los bordes.

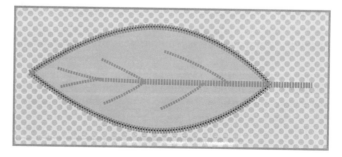

MOTIVOS

Estos son algunos
motivos que pueden
adaptarse para
bordarse a máquina.
Intenta coser las
espirales con un
movimiento libre en
un aro y podrás ver
cómo puedes
expandirlas, formando
patrones de relleno
intrincados. Las
formas sólidas también
pueden hacerse a
escala (pág. 11) para el
trabajo con
aplicaciones.

PROYECTO: BOLSA PARA GUARDAR BOLSAS DE PLÁSTICO

En esta bolsa puedes guardar las bolsas de plástico para tenerlas a la mano cuando quieras volver a usarlas

Materiales

- Tela para la etiqueta bordada, córtala del tamaño y de la forma que quieras. Si usas fieltro, es probable que no necesites usar un refuerzo (forro); de lo contrario, corta un trozo de Vilene o de estabilizador del tamaño adecuado.
- Tela de algodón para la bolsa en sí, 51 x 63.5 centímetros.
- Elástico de 7 mm de ancho cortado en dos trozos, uno de 30 cm y otro de 15 cm.
- Cinta o cordón para el asa; 37.5 cm de largo y 20 mm de ancho.
- También vas a necesitar una máquina de coser, agujas, hilos, una aguja para jareta, tijeras y una plancha.

Acuérdate de reciclar

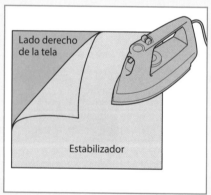

Lado derecho de la tela

Estabilizador

Cinta
Lazo para colgar la bolsa

Etiqueta redonda o cuadrada

LADO DERECHO DE LA TELA

Aguja para jareta enhebrada con elástico

Jareta

1 Fija el Vilene o el estabilizador a la tela de la etiqueta. La imagen del elefante puede prepararse para bordarse o para hacerse con aplicaciones. Tal vez te gustaría escribir el mensaje con tu propia letra, usando papel carbón, para luego bordarlo, o puedes copiar las letras del alfabeto (pág. 30). Si prefieres bordar el elefante, podrías hacerlo como un muestrario de tus puntos favoritos o con un estilo regional. En ese caso, coloca la tela en un aro para bordarla y fija el Vilene cuando hayas terminado.

2 Toma la tela con la que vas a hacer la bolsa y hazle una jareta de 13 mm a lo largo de cada uno de los bordes más largos; primero haz un doblez de 20 mm en la orilla y luego haz otro doblez de 7 mm. Hilvana el doblez y cose las jaretas a máquina, cerca del doblez.

3 Mide la etiqueta y sujétala con alfileres en el centro de la tela. Únela con la máquina de coser, usando una puntada decorativa o con un pespunte sencillo. Dobla las orillas de la cinta hacia dentro y cose bien el asa cerca de la parte superior de la bolsa, aproximadamente a 17.5 cm de cada orilla y debajo de la jareta.

4 Con la aguja para jareta, pasa el trozo de 30 cm de elástico a través de la jareta de arriba, plegando la tela a medida que lo haces. Cose los extremos cerca de cada orilla. Repite con la jareta de abajo, usando el trozo de elástico de 15 cm. La apertura de abajo es más angosta que la de arriba.

REVÉS DE LA TELA

5 Dobla la bolsa a la mitad a lo largo, colocándola al revés. Con un margen de costura de 13 mm, haz la costura lateral a máquina, de arriba abajo, asegurándote de incluir y coser firmemente las orillas del elástico. Plancha la costura si es necesario.

6 Voltea la bolsa al derecho y cuélgala; está lista para usarse.

CUARTA PARTE

BORDADOS REGIONALES

LA TRADICIÓN INDIA

Gracias a la ubicación privilegiada de su territorio y a su cercanía con las rutas comerciales entre China y Europa, la India ha podido crear una rica tradición en el campo del bordado, en especial en la región fronteriza de Gujarat en el noroeste.

Bloques de impresión

El sencillo bloque de impresión hecho de madera y tallado a mano ha conservado muchos patrones y motivos de la India. Se imprimen patrones geométricos más precisos con el uso de barras metálicas que se fijan a trozos de madera. Ambos tipos de imágenes se imprimen en la tela base como guía para el bordado.

El trabajo con aari

Se trabaja con punto de cadeneta en marcos grandes y pequeños (con la tela bien extendida y con el lado derecho hacia arriba), usando una aguja o un pequeño punzón (o lezna) llamado aari, que es similar al "gancho de tambor" ("tambour hook") que se usa en occidente. Se sostiene el hilo bajo la tela, se inserta el gancho hacia abajo (a) y se atrapa el hilo, se gira el gancho y se mueve hacia arriba formando una lazada. Estando el gancho sobre la tela (b) y manteniendo una tensión leve en el hilo de abajo, se gira, vuelve a insertarse a poca distancia y se forma otra lazada haciéndola subir por el centro de la anterior. Con cada acción del aari, la persona lo gira verticalmente 180 grados para sostener el hilo. Para trabajar con el aari se usan hilos de algodón, de seda y de lana (ver la contraportada donde hay una muestra en seda antigua de Gujarat que data de 1760 aproximadamente).

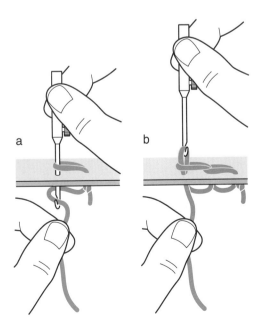

Trabajo shisha con espejos

Lo más común es usar espejos pequeños, redondos, hechos en fábrica; otra alternativa son las lentejuelas grandes. Pueden coserse con varias puntadas diferentes: Puntada de ojal (pág. 24), punto escapulario (pág. 20), cadeneta torcida (pág. 40), o Creta (pág. 25); pero si se desea un efecto más elaborado, se puede hacer una combinación de varios puntos. Con frecuencia se usa el punto de cadeneta abierta (pág. 23) al final como un contorno de efecto radiante.

Sujeta el espejo a la tela con dos puntos horizontales y dos puntos verticales (a) y (b). Pasa la aguja debajo de la primera intersección, cruza y haz un punto de derecha a izquierda (c). Manteniendo una tensión uniforme a medida que avanzas, continúa en la dirección contraria a las manecillas del reloj hasta que el marco esté completo (d). Otro método es envolver un anillo pequeño con hilo de colores, colocarlo sobre el espejo y fijarlo en su lugar con punto enano.

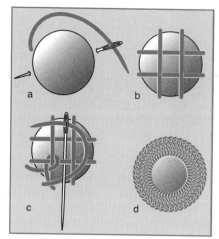

Cadeneta torcida

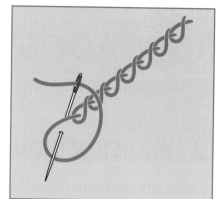

Ésta es una variación de la cadeneta que forma una línea elevada y añade una característica valiosa a un contorno tipo shisha.

Badla

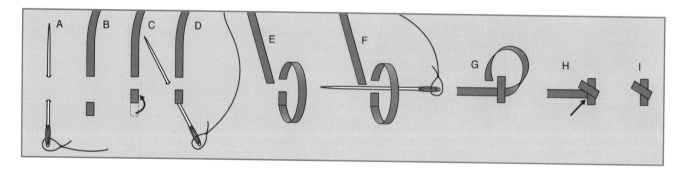

Ésta es una técnica de bordado en metal que consiste en producir puntos muy pequeños (fardi), y también ojales muy pequeños y lentejuelas que brillan como estrellas en materiales traslúcidos como la gasa, la muselina y la seda. Se "cose" con tiras pequeñas de metal reciclado de aproximadamente 2 mm de ancho y 30 cm de largo.

Se trabaja con el material en la mano, la aguja especial de badla se enhebra (A) y el metal se pasa a través de la tela de base hasta que queda una cola pequeña. Ésta se dobla para que quede fija (B y C). La aguja vuelve a insertarse (D) y se pasa a través para formar una lazada (E). Luego se pasa por la lazada (F) y la tira de metal forma una cruz (G). La tira se jala para que quede pegada a la tela y luego se corta (H). El punto "fardi" está completo. Al final, el trabajo badla se pule con una piedra suave.

Banjara

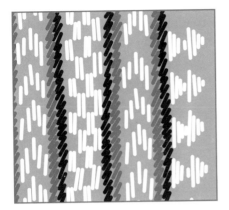

Banjara es el nombre que se da a las tribus nómadas de la India. Su bordado hecho con hilo de algodón sobre tela de algodón, da forma a patrones geométricos sólidos, utilizando extensamente puntos rectos y puntos al estilo florentino.

Kantha

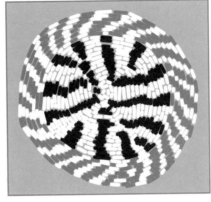

Kantha, que significa "trapos", es un estilo de bordado en algodón originario de Bengala. El punto simple proporciona una base al combinarse con punto atrás, punto de tallo, punto abierto, y el bordado de patrones, para realizar una serie de motivos característicos.

Punto de cruz tipo Kutch

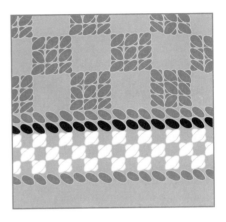

Es un punto de cruz diminuto y de tanta precisión que casi parece tejido. Es más fácil hacerlo con el método de contar hilos y en una tela de tejido uniforme.

Trabajo de sombra (shadow work) con punto escapulario cerrado

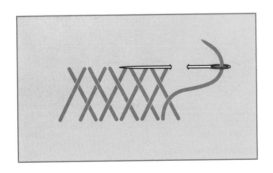

"Shadow work" es un elemento de la técnica india de bordado en blanco conocida como Chikan. Se trabaja por el revés de telas transparentes como la gasa y la organza; el punto escapulario cerrado produce dos líneas de punto atrás por la parte de enfrente de la tela.

Punto atrás doble (shadow work)

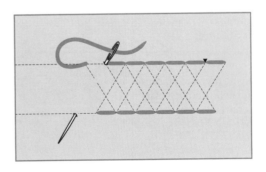

El punto atrás en el lado derecho del "shadow work" forma un contorno continuo alrededor del relleno de punto escapulario. Las cruces se ven a través de la tela, creando una variación visible en el tono.

PROYECTO: FUNDA CON PAVO REAL

La funda se arma con trozos reciclados de tela de algodón y seda estampada, y se decora con una aplicación en forma de pavo real bordado. Las telas estampadas siempre añaden carácter y reflejan la época y la parte del mundo a la que pertenecen; en la contraportada aparece un proyecto similar.

Selecciona telas de peso similar, eligiendo colores y estampados que combinen entre sí. Plánchalas bien antes de cortar cada retazo, incluye un margen de costura de 13 mm.

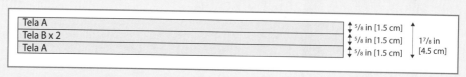

Coloca el lado derecho de las telas frente a frente, une los retazos con la máquina de coser, formando bloques, como se muestra en la ilustración de abajo. Cuando termines, plancha las costuras por el revés.

Trabajando con escalas (pág. 11), dibuja y corta el pavo real en una tela brillante que marque un contraste; deja un margen de 13 mm.

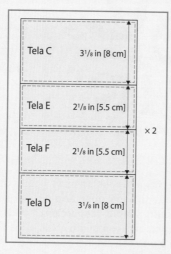

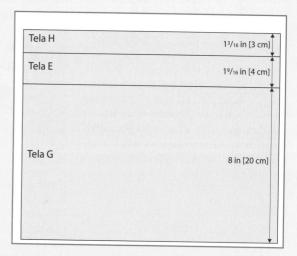

Une el motivo en el lado derecho de los retazos, cosiéndolo a mano con hileras de puntos sencillos y con hilos para bordar de colores brillantes. Al final, marca el contorno con punto de cadeneta.

Recorta la tela sobrante cerca de los puntos de cadeneta. Dibuja las plumas de la cola con un marcador soluble. Rellénalos con punto escapulario en hilo de diversos colores y borda un contorno que marque un contraste con punto cadeneta.

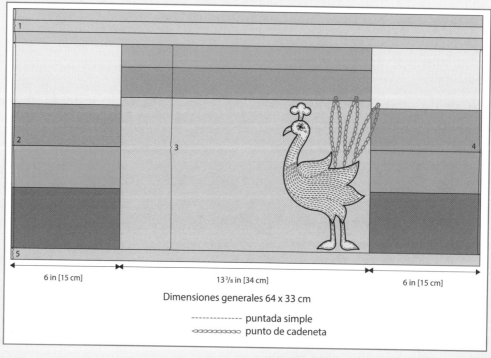

Dimensiones generales 64 x 33 cm

- - - - - - - - - - - - puntada simple
∞∞∞∞∞∞∞ punto de cadeneta

PARACAS PERUANAS

En la década de 1920, con el descubrimiento de una vasta necrópolis en la península de Paracas, salieron a la luz unos textiles sorprendentes de hace 2000 años. Cada cuerpo momificado estaba ritualmente envuelto en telas ornamentadas con bordados (ver la contraportada).

Gato peruano en punto tallo

Las bestias, aves y extrañas figuras voladoras (a la derecha y abajo) que se muestran en estos bordados se trabajaron meticulosamente en secciones de puntos tallo bordados muy cerca uno de otro y cubriendo la base de tela de algodón en diferentes ángulos y con diferente longitud (ver abajo a la derecha). Los hilos de lana de alpaca absorbieron bien los pigmentos, así que la variedad de tonos púrpura, rojo profundo, rosado, amarillo y verde permanecen vívidos incluso en nuestros días.

Figuras voladoras

Mono

Formación de punto tallo

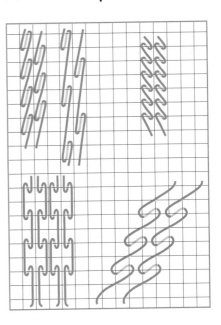

BORDADO POPULAR EUROPEO

El bordado europeo se ha concentrado en el lino y la lana para uso cotidiano, y la mayoría de sus trabajos en oro y plata se han reservado para la iglesia.

Punto de cruz ruso

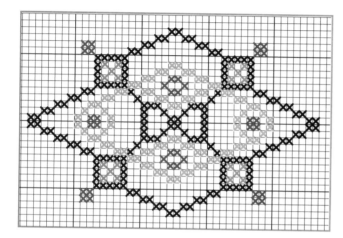

Este diseño a cuatro colores se eligió para decorar un sencillo delantal blanco de algodón. El patrón cuadriculado (arriba a la izquierda) muestra la forma de marcar el diseño para bordarlo sobre cañamazo (tela de trama separada, dispuesta para ser bordada o para servir de guía a otra tela que llevará finalmente el bordado).

El cañamazo se hilvana a la tela de algodón y el punto de cruz se trabaja a través de ambas capas en forma simultánea. Al terminar, los hilos del cañamazo de cortan y se retiran, dejando el diseño intacto sobre la tela sencilla de algodón (arriba a la derecha).

Bordado húngaro "escrito"

Ésta es una sección amplificada de un complicado patrón doble de punto de cadeneta que se trabajó con hilo de bordar rojo en una bolsa de lino blanco. El patrón proviene de Kalotaszeg, en Transilvania, que antes era parte de Hungría. Este estilo tradicional se llama "escrito" porque lo diseña la Mujer Escritora, que memoriza cientos de patrones y puede dibujarlos directamente, de acuerdo con los pedidos que recibe, en tela de lino lisa. Predominan los motivos de flores estilizadas y los puntos que se usan pertenecen a la familia de la cadeneta, como la cadeneta ancha (pág. 22), la cadeneta abierta (pág. 22) o el punto de cadeneta trenzada.

La bolsa en sí está unida con punto de festón con un hilo que combina bien.

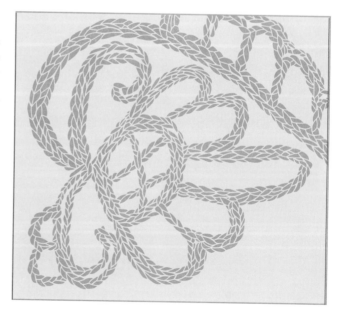

Durante siglos, la mayoría de los europeos, exceptuando a la nobleza y a los habitantes de las ciudades, se dedicaban a trabajar la tierra. También cosían su propia ropa y sus sábanas, manteles y toallas, lo que llevó a que también los decoraran, usualmente con motivos y colores que eran típicos de sus propias comunidades. La vida era difícil y no se permitía que nada se desperdiciara. Bordaban sólo la parte de la pieza que podía verse, como los cuellos, las mangas y las bastillas. El bordado hecho contando hilos, principalmente el punto de cruz, se encuentra por todas partes, desde los "dixos" (medallones) de las Islas Griegas hasta Escandinavia. El punto de cadeneta, el de tallo, el abierto y el de Creta, ofrecían a las personas que bordaban amplias posibilidades para crear contornos más fluidos y rellenos más complejos.

Punto de cruz de Islandia

Punto de cadeneta y punto satín de Rumania

Motivo de una manga en un traje regional

Punto satín de China

A lo largo de los siglos, los chinos han utilizado la tela satinada (pág. 8) y el punto satín para bordar (pág. 26), luciendo en esa forma la fina belleza de sus hilos de seda. En la tumba de una mujer aristócrata que murió en 1243 se encontraron maravillosos bordados en oro y satín que muestran ramas llenas de flores en las que se posan las aves. Sin embargo, el punto satín había desplazado al punto de cadeneta mucho tiempo atrás, en la era Tang (618-906 d.C.). Y más tarde, durante el auge comercial de los siglos XVIII y XIX, la mayor parte de la seda que China exportaba a occidente tenía patrones bordados en punto satín, ya que era más fácil producir estos diseños delicados, bordándolos a mano que mediante las complejidades de hilarlos en un telar.

CÓMO LAVAR Y MONTAR UN BORDADO

Cómo lavar un bordado

La mayoría de los hilos para bordar modernos no se destiñen, pero si tienes dudas, presiona un trocito de algodón húmedo contra el bordado (de preferencia por el revés). Si mancha el algodón, el bordado debe mandarse a la tintorería. Las piezas bordadas que no se destiñen deben lavarse con agua tibia y sólo con escamas de jabón. Exprímelas suavemente y no talles el bordado. Enjuágalas varias veces con agua fría antes de enrollarlas en una toalla limpia para eliminar el exceso de agua. Sácalas de la toalla y extiéndelas para darles forma. Ponlas a secar lejos del calor directo o de la luz solar intensa. Si la pieza se ha distorsionado, "dale forma" extendiéndola y sujetándola con alfileres sobre una superficie suave. Usa alfileres largos que no se oxiden colocándolos alrededor de los bordes. Deja la pieza así hasta que se seque por completo. Siempre plancha una pieza bordada boca abajo y sobre una superficie acolchada, usando una tele húmeda para plancharla si es necesario.

Cómo montar un bordado

Corta una base de cartón delgado, un cartón de montaje o una tabla de espuma prensada. Las bases de madera deben serrucharse para darles el tamaño adecuado, pero puedes usar un cúter con filo, una regla de borde recto y una base para cortar el cartón o las tablas de espuma prensada. Si quieres usar un forro (como una almohadilla o cojinete) al preparar tu trabajo para enmarcarlo, corta el forro del tamaño exacto de la base de cartón. Cuando uses una base de madera, debes colocar la tela contra el lado más burdo.

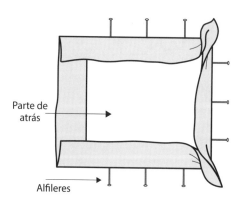

Parte de atrás

Alfileres

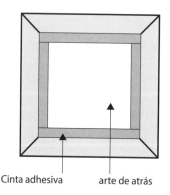

Cinta adhesiva   arte de atrás

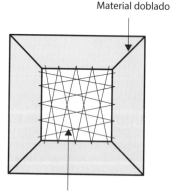

Material doblado

cordón

1 Coloca el bordado al revés y coloca la base sobre él con el forro en medio. Dobla la tela sobre la base y coloca alfileres en los bordes. Voltea el bordado y verifica la posición (tal vez tengas que hacerlo varias veces). Asegúrate de que los bordes de la base se estén alineados con la trama de la tela.

2 No se pueden colocar alfileres en la madera, así que usa cinta adhesiva para fijar el bordado en la posición correcta. Si no vas a usar cordón para fijarlo por detrás, dobla las esquinas con cuidado, tensa la tela y fíjala con la cinta a la parte de atrás por todo el derredor. Debes recordar que la cinta adhesiva a la larga se deteriora; nunca debe usarse cerca del área bordada.

3 Dobla las esquinas de la tela y comienza a sujetarla con cordón por la parte de atrás empezando por la parte media de uno de los lados más cortos. Usa un cordón resistente y trabaja con puntadas tipo escapulario (pág. 20) muy grandes, de lado a lado, para no causar demasiada tensión en un solo orificio de la tela. Mantén el cordón lo suficientemente estirado para que la superficie de la tela bordada quede tensa, pero sin distorsionar el bordado. Repite el procedimiento para unir los otros dos lados.

GLOSARIO

Aari – pequeño gancho o lezna que se usa en el bordado hindú, es similar al "gancho de tambor" ("tambour hook") que se usa en occidente.

Aida – tela de tejido en cuadros que tiene una estructura regular y orificios visibles para las puntadas.

Aplicaciones – decoraciones cortadas de una tela y cosidas en otra.

Aro (Tambor) – consta de dos anillos de madera o plástico que se unen para mantener la tela tensa cuando se borda.

Asís – técnica de bordado que data del siglo XIII originaria de la ciudad italiana del mismo nombre.

Bastidor – estructura de cuatro lados que mantiene la tela tensa mientras se hace el bordado.

Bies – Trozo de tela cortado en sesgo respecto al hilo que se aplica a los bordes de prendas de vestir.

Blackwork – estilo de bordado que data del siglo XVI y que se trabaja con hilo negro sobre lino blanco.

Cabeza de alondra – técnica para sujetar el hilo al iniciar el trabajo.

Contorno – marco decorativo que se borda alrededor de un diseño.

Couching – hilo grueso o grupo de hilos que se sujetan con un hilo más delgado.

Crewel – bordado en lana sobre lino que fue popular en el siglo XVII y se usaba en artículos para el hogar.

Digitalizar – convertir una imagen a un formato que la máquina de coser pueda interpretar y así bordarla.

Entretela – textil no tejido que añade cuerpo a una tela; puede coserse o unirse con una plancha.

Escala, a – aumentar o reducir un diseño en forma proporcional

Estabilizador – ayuda a impedir que la tela se mueva o se extienda cuando se está bordando.

Estilo libre de bordado – bordado a mano que no se relaciona con la técnica de contar hilos.

Filamentos combinables – hilos metálicos muy finos que se combinan con hilo de algodón para bordar.

Florentino, estilo – bordado que se hace contando hilos y se trabaja en forma vertical con puntos rectos.

Forro – material de relleno que se usa como aislante o como base cuando se enmarca un bordado.

Giro S – hilos tejidos en sentido contrario a las manecillas del reloj

Giro Z – hilos tejidos en sentido de las manecillas del reloj.

Hilos multicolores - se tiñen de colores o en diferentes tonos del mismo color, a intervalos regulares, durante su fabricación.

Hilvanes – puntadas preliminares, se retiran cuando el trabajo está terminado.

Margen de costura – distancia entre el orillo cortado de la tela y la línea de la costura.

Monograma – iniciales bordadas

Motivo – elemento distintivo de un diseño

Movimiento libre – técnica para bordar a máquina en el que se le da un movimiento libre a la tela y al estabilizador que están dentro de un aro.

Muestrario – muestra decorativa de una variedad de puntos de bordado

Orillo – borde sólido de un producto textil

Papel perforado – tarjeta con orificios a espacios regulares donde se colocan los hilos que se usan en un bordado.

Perla – hilo brillante para bordar que no puede dividirse.

Relleno – serie de puntos que se usan para cubrir el área dentro de un contorno.

Tambor – *ver aro*

Terminar – cortar hilos, retirar el exceso de forro, planchar, etcétera, después de completar un bordado.

Trama – hilos que cruzan la tela, en ángulo recto con el orillo.

Urdimbre – hilos que van a lo largo de una tela, paralelas al orillo.

Vilene – ver entretela

Índice de puntadas